蒙學善本

國家圖書館藏·蒙學善本

書言故事大全

第十一册

鳳凰出版社

盃中蛇影

歸自日邊

歸自日邊

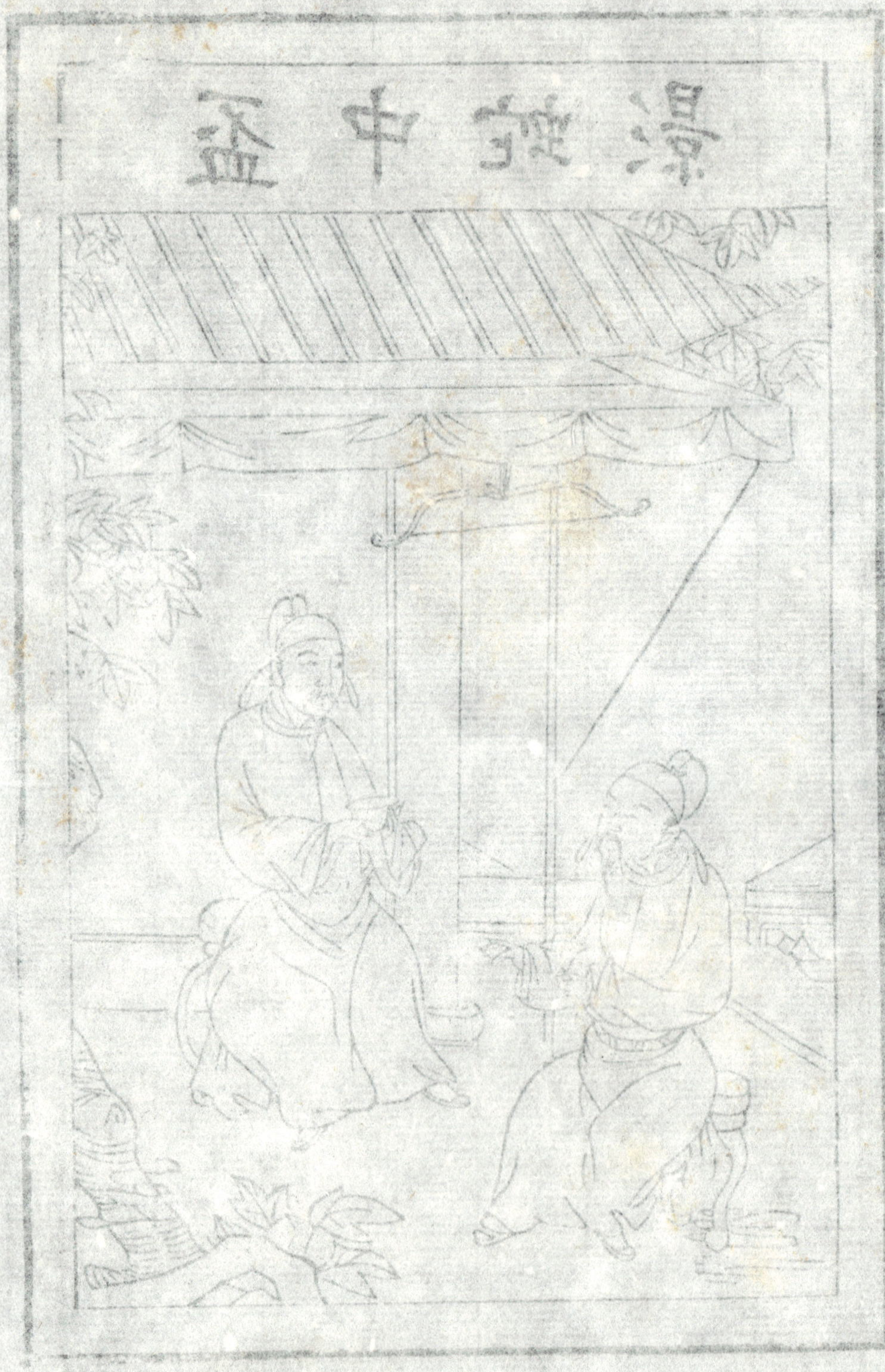
盃中蛇景

書言故事卷之十一

廬陵　胡　繼宗　集

安成　陳　玩直　解

○都邑類

京師 帝都曰京師（公羊傳）京師者天子之居也。京大也師衆也。天子之居。以衆大言之

桂玉之地（國策）蘇秦之楚。（蘇秦。齊之辯士。之楚。往楚也）三日乃得見王（言見之難得）辭行（蘇秦既見王遂辭行）王曰曾不少留對曰楚國食貴於玉。薪貴於桂。謁者難得見（謁者楚國通報之人也）如鬼王難見於天帝。今臣食玉燃桂（燃桂燒桂也言然之貴如燒桂也）因鬼見帝王曰聞命矣

日邊 問人自京回曰。歸自日邊（晉）明帝。幼總㧌長安使來（長安今陝西也）元帝問帝曰汝謂長安與日孰遠對曰長安近。不聞人從日邊來。明日宴群僚又問帝曰日近。元帝曰。何異間者之言（間者言前日也）曰舉頭見日不見長安。元帝奇之

麗譙 稱鼓角樓曰麗譙（譙門）（譙樓）（莊）（徐無鬼之篇）魏有麗

譙麗譙高城樓也。陣兵列於其間。唐馬遂傳設二門為譙樓譙門門上建高樓以望者。譙者。樓之別稱。故謂美麗之樓為麗譙。譙亦呼為窠。所謂巢車者。亦於兵車上為樓以望敵也。譙窠聲相近。本一物也。（師古云）又譙櫓城上守禦樓

花縣 稱邑曰花縣。晉潘岳。字安仁。為河陽令。種桃李樹。人號曰。河陽一縣花。

鄭鄉 稱人鄉里曰。鄭鄉。鄭里漢鄭玄。字康成。靈帝未國相。孔融告高密縣為玄特立一鄉。高密。密川縣。曰鄭君實懷明德。公者。仁德之正號。令平声鄭君鄉。宜曰鄭公鄉。廣闢門衢。衢。街衢也令容高車。號通德門

梓里 稱鄉里曰梓里。詩小弁之篇維桑與梓桑梓二木。古者五畝之宅樹之墻下。以遺子孫給蚕食。具器用者也。必恭敬止子孫見桑梓則思祖父之遺澤必止於恭敬而不忍剪伐之也

○市肆類

玄虛 俗呼市曰玄虛。俗呼市曰虛。徐筠水志分寧縣本常州玄市也。嶺南村落有市。謂之虛。不常會。多虛日也。西蜀曰痎。音皆如瘧疾間去声日復作也。瘧疾日痎二日一發。江南人惡音汙以疾稱。故止曰亥耳。

龍斷 龍音籠言罔利之人曰。龍斷之徒。孟公孫丑下有賤丈

龍斷 壟龍音 言同利之入口。龍斷之路（去）丘之下鋒 有賤丈夫

一二 登之 江南入墟以市稱。故止曰市耳

墟曰也。西蜀曰痎。如瘧疾間日復作也 口痎

本常州交市也。嶺南村落有市謂之虛不常會

交虛 俗呼市曰交虛 俗呼市曰虛（律）稽水（志）方輿

○市井類

尽於鄉家 故之而其下 亦爲以用 皆于也旅 必恭敬止 而于父人之遺澤 火則止思

梓里 稱鄉里曰梓里（詩）之小 而維桑與梓 必恭敬止

書言故事 卷之十一 二

鄉 以鄉。廣閭門攔。今容高車。號通德門

君實舉明德以爲名。仁德之正稱令鄉曰

圖 相孔融喜高密縣爲鄭玄特立一鄉曰鄭

鄭鄉 稱入鄉里曰鄭鄉（漢）鄭玄字康成靈帝末

樹入號曰河陽一縣花

花縣 稱邑曰花縣（晉）潘岳字安仁爲河陽令種桃李

也。以（師古）古數亦又讓樽城 上述 守 本 一 者

讓 漢 高 樓 漢 樓 之 巢 車 則 稱 鼓 語 美 輿 上 之 樓 門

漢 高 陣 樓 弁 雉 則 高 城 也（漢）（周禮）二 門 爲 樓

夫爲。（有貪財賤丈夫）必求龍斷而登之（必尋岡隴之斷然高處而升立之）
以左右望。而罔市利。（左右瞻望。欲得此而又取彼也。而罔羅街市之利）

逆旅 客店曰逆旅〔唐〕馬周入關舍新豐逆旅（館舍迎客旅也）（○新豐漢太上皇思東歸高祖改築城市街里以象沛豐邑徙豐民以實之鷄犬亦各認其家而自歸故曰新豐）命酒一斗八升悠然獨酌衆異之（前三卷問歸類）（言馬周呼酒濯足未知孰是）

閭闠（音闠會）言市井曰閭闠。〔風俗通〕市巷謂之闤。市門謂之闠。

交易（音亦）〔易〕日中為市。致天下之民。聚天下之貨。交易而退。各得其所（舉疑當作各恐字之悞）

錐刀 求小利曰錐刀之末〔左〕（昭公六年。）錐刀之末。（錐刀之末至細。）（以喻細事。）將盡爭之。（言將瑣細爭辯覬幸免於罪。○此蓋鄭子產鑄刑書於鼎以為國之常法者。叔向曰。今民知爭罪之册矣。○此與前弟四卷。悠讐類。爭端之下通看。〔釋注〕覬音計。希望也。）

少室 索（音色）價高曰少室〔唐〕李渤（盆入声）少室山人。以右拾遺召。（李渤字濬之。隱少室山。拾遺諫官也。召字之義詳見下文）上書不拜〔韓公詩〕（韓公引李渤事寄盧仝）少室山人索價高（李渤索價高要君厚聘而肯出仕）兩以諫官徵不起（兩次有諫官之名不肯立起）

何樓 物不精好曰何樓〔宋朝〕京師有何樓其下所賣

何樓　物不精好曰何樓。（宋朝）京師有何樓，其下所賣[illegible]

[illegible]

二價　賣價真曰不二價。（漢）韓康賣藥[illegible]

[illegible]

錐刀　求小利曰錐刀之末。（左傳）[illegible]爭錐刀之末。[illegible]

而逐[illegible]其所[illegible]

交易　（易）日中為市，致天下之民，聚天下之貨，交易而退，各得其所。[illegible]

門謂之闠。

闤闠　言市井曰闤闠。（風俗通）市垣謂之闤，市門謂之闠。[illegible]

[illegible]命酒一斗八升，悠然獨酌，衆異之。[illegible]

逆旅　客舍曰逆旅。（唐）馬周入關，舍新豐逆旅。[illegible]

以左右望而罔市利。[illegible]

夫處[illegible]

物多虛僞故以名之。謂名虛假之一物為何樓今樓已廢而語猶相傳。

○第宅類

甲第 賀人遷新居。榮遷甲第。宣帝賜霍光甲第一區。有甲乙次第。故曰甲第。區，所也，處也。(陸士衡詩)甲第崇高闥。言甲第有崇高之闥。闥，内門也。飛闥突出方木。

輪奐 稱美華居曰。輪奐美哉。(記)檀弓下篇(晉)獻文子成室。文子，趙武也。獻，賀也。文子作室成。晉君賀之。張老曰。美哉輪焉。輪以美其周圍美哉奐焉。奐以美其散明。舊註輪言高大。奐言衆多。

燕賀 賀人曰。修燕賀敘起居。燕賀夷猶。夷猶猶豫也不行之貌。謙言欲進賀而不能也。(淮南子)大廈成而燕雀相賀。廈大屋也。燕雀喜大屋之成而得安。湯沐具而蟣音紀蝨音色相弔。蟣蝨憂湯沐之水具。而將死也。

于門 敘賀稱人。于門稱慶。(前漢)于公門閭壞。父老共治之。于公少高大門閭。令容駟馬車。我治獄多陰德。子孫必有興者。至于定國為丞相。去声

蝸舍 蝸音瓜又音戈自稱己音紀居曰蝸舍蝸廬犢廬。(魏)胡昭傳。註隱者焦光作圓舍。形如蝸牛殻。謂之蝸牛廬。蝸螺以有兩角。故名蝸牛。陸農師曰。蝸似蛞蝓而有殻者。負殻蜒蚰。本草作蛞。輪焦光作蝸牛廬舍

圖而小（釋註）琥音移揄音于蛞音胥蝓音利

蓬蓽 音必 謝人光訪云。辱賁蓬蓽。（記）儒行 音辛 儒有一畝之宮。孔穎達疏曰。一畝。謂徑一步。長百步也。折而方之。則東西南北各十步。宮。牆垣也。牆方六丈。環堵之室。跡曰。環周迴也。方丈為堵。東西南北各一堵。○釋文云五板為堵。環堵面一堵牆。言室之狹也。蓽門圭竇。音透○跡曰。蓽門以荊竹織門也。圭竇。穿牆為之門房小戶也。上銳下方。狀如圭。蓬戶甕牖。跡曰。蓬戶。編蓬為戶也。甕牖者。窻牖圓如甕口也。

衡門 謙言居陋巷棲遲衡門。（詩）陳一衡門之篇。衡門之下。可以棲遲。衡門。橫木為門也。門之淺者。有阿澄堂宇。此惟橫木為之。棲遲。游息也。○此隱居自樂而無求者之詞。言衡門雖淺陋。然亦可以游息。

席門 自稱貧曰席門陋巷。已見前第三卷臨訪類長者車之下

潭府 稱士宦之家曰潭府。（韓公詩）韓愈有子名符。送其讀書於城南。作此詩勉之。一為公與相。言兩家同時生子。其一不學者。為馬前至賤之卒。其一學者。則為至賢公卿宰相。潭潭府中居。潭潭。深邃貌。公相所居。謂之府

買隣 擇隣曰買隣。（宋）季雅曰。百萬買宅。千萬買隣。南史宋季雅羅南康市宅。隣呂僧彌。僧弥問買宅價曰一千一百萬。僧弥怪其貴。曰。百萬買宅。千萬買隣。○易得者宅也。難得者善鄰人也。下文又詳言之。

卜隣 孟子之母。三徙為孟子卜隣。三徙之義詳見前第一卷父母類三徙擇隣之下（杜詩）贈韋左丞。王翰願卜隣。韋濟天寶中爲尚書左丞。杜公作長

卜隣 孟子之母三徙為孟子卜隣。[illegible]

買隣 [illegible]宋季雅曰百萬買宅千萬買隣。[illegible]

擇隣 [illegible]

[illegible]一為公與相言[illegible]

[illegible]稱士宦之家曰禪府[illegible]

齊門 自稱曰齊門陋巷。[illegible]

[illegible]

衡門 謙言居陋巷衡門[illegible]

[illegible]蓬戶[illegible]篳門圭竇[illegible]

[illegible]環堵之室[illegible]篳門圭竇[illegible]

[illegible]之宮[illegible]儒有一畝之宮[illegible]

[illegible]

篇以贈之言其才如王翰。亦願宅為隣

○學校類

壁水 稱大學曰壁水、壁池、壁沼（唐歸崇敬傳）天子學曰辟（音壁）雍。其水環遶如璧（璧明也。雍和也。璧雍四門外有水以節觀者。門外皆有橋，觀者在水外，故云圜橋門。一曰水環遶如璧。）在禮曰澤宮（或曰礼部也。）前世或曰璧池，或曰璧沼。

橋門 稱赴上庠曰鼓篋橋門（漢明帝幸辟（音壁）雍。行養老禮畢（壁雍。天子學名。（東漢礼儀志）明帝永平二季三月上始帥群臣躬養三老五更于辟雍。三老老人知天地人之事，五更老人知五行更代之事。其日天子乘輿先到辟雍禮殿。御坐東相，遣使者安車迎三老五更。天子迎于門屏，交礼揖拜也。道自阼階，三老升自賓階。至階天子揖如礼。三老升東面。三公設几，九卿正履。天子親袒割牲，執醬而饋，執爵而酳。祝鯁在前，祝饐在後。老人食多鯁饐，故置人於前後祝之，使不鯁饐也。五更南面，三公進供，礼亦如之。明日皆詣闕謝恩，以見礼遇大尊顯故也。（釋註）三老謂李躬，年耆學明，乃一人，而非三人。五更謂桓榮，授帝尚書也，亦是一人也。）正坐自講，諸儒執經問難於前，冠帶縉紳之人圜橋門而觀者，蓋億萬計（圜遶也。億十萬也。）

虎闈 國子監曰虎闈（晋武帝臨辟（音壁）雍。立國子學以殊士庶。大業中更名國子監。（大業隋煬帝年号）宣室志（王融謂國子監為虎闈）

○齋舍類

家塾 就家學者曰家塾。(記)學記篇 古之教者。言古王者教學之法一十五家爲閭。同在一巷。巷首有門。門側有塾。

精舍 稱書齋爲精舍。(後漢)劉淑立精舍。(晉)謝靈運石壁精舍。(宋)朱文公武夷精舍。潭州道林精舍。

馬帳 敘教導者起居。横經馬帳。(融紗)敘敎導者起居。點勘馬帳。(漢)馬融博洽。博廣也。洽徧也。爲世通儒通儒風俗。通儒區也。言能區别古今居則説聖賢之辭。動則行典籍之道。稽考先王之制。立當時之事。此通儒也。教養諸生千數。達生任性。不拘儒者之節。達生任性者通達生理。不拘儒者尋常之節。而能隨物應変以處中也。常坐高堂施绛紗帳前授生徒。後列女樂。弟子次相傳習。鮮有入其室者。此與前第二卷師儒绛帳之下通看

鷄窻 讀書舍曰鷄窻。(幽冥録)宋處宗常買一長鳴鷄著張入声窻間。後鷄作人語。與處宗談論。終日不輟音掇。止也。○處宗因此功業大進

○書史類

牙籤 音僉 稱人書多。牙籤萬軸。充入声(鄴架)(韓詩)送諸葛亮往隨州讀書鄴侯家多書。架插三萬軸。唐宰相李泌封鄴侯其子繁爲隨州

刺史一一懸牙籤。（唐）經籍志。甲乙丙丁四部。書名為一部。甲。經書。赤牙籤。乙。史書。綠牙籤。丙。子書。碧牙籤。丁。集書。白牙籤。新若手未觸。觸。犯也。言架插三萬軸之書史。新若未以手犯之也。

黃卷 書名黃卷有所自。自。從也。言有所從來。古人寫書皆用黃紙。用黃蘗染之以辟蠹。故曰黃卷。有誤字。以雌黃滅之。與紙相類。故可否文章。謂雌黃。（唐）狄仁傑曰。黃卷中方與聖賢對。何暇偶俗吏語耶。偶。對也。

兔園冊 鄉校教。田夫牧子所誦兔園冊。（五代）梁唐晉漢周宰相逢道。世本田家。世者。自祖來世世也。狀貌質野。朝士多笑其陋。入朝。任贊。劉岳在後。道數。音朔反顧。贊問岳道顧何為。曰。遺下兔園冊子。漢梁孝王。竇太后之愛子。景帝之母弟。孝王有囿。名曰兔苑。孝王卒。太后哀慕之。景帝以其苑。令民得耕種。乃置官守。籍其租稅。以供祭祀。其簿籍皆俚語之字。故鄉俗所誦玉兔園冊

○文章類

五色線 譬喻文章似五色線。（杜牧之詩）平生五色線。願補舜衣裳。

黃綃色絲 稱絕妙之文曰黃綃色絲。（語林）楊修與曹操至江南。讀曹娥碑。邯鄲淳譔碑文云。孝女曹娥者。上虞曹盱之女也。其先與

周同祖。末胄荒流。爰兹適居。盱能撫節按歌婆娑
樂神（婆娑神）以漢安二年五月時迎伍君（伍子
胥為濤神）逆流而上。為水所淹。不得其屍。娥年十
四歲。號慕思盱。哀吟澤畔。旬有七日。遂自投江死。
經五日抱父屍出。以漢安迄于元嘉元年。青龍
辛卯（青龍。太歲也。漢安二年至此九九年）莫之有
表。度尚設祭誄之（度尚改葬娥于江南道傍。為立
碑焉）辭曰。伊唯孝女。曄曄之姿。偏其反而。令色孔
儀。窈窕淑女。巧笑倩兮。宜其家室（謂娥安容之美
宜配君子）在治之陽。大禮未施（治水名。比為周文
王親近太姙。此礼未施。謂娥未嫁）嗟喪慈父。彼蒼
伊何。無父何怙。訴神告哀。赴江永別。視死如歸。是
以眇然輕絕。投入沙泥。翩翩孝女。載沉載浮。或泊
洲渚。或在中流。或趨湍瀨。或逐波濤（未遇父屍漂
泊）。靡定千夫失聲。悼痛萬餘。觀者填道。云集路衢。
泣淚掩涕。驚動國都。是以哀姜哭市（哀公夫人姜
氏哭殺嫡立庶之事于市。人皆哭）杞崩城隅（杞梁
之妻孟姜女。哭夫崩城）或有尅面引鏡（梁高行早

寡不嫁。梁王聘之。歸援鏡操刀以劓其鼻）剪耳用
刀（劉長卿妻。孫奇妻。皆少寡。援刀割耳。明已不二
坐臺待水（楚昭王出遊。留夫人漸臺之上。王聞江
水大至。使迎夫人。忘持符。夫人曰妾不敢越義而
求生。水大至而死）抱樹而燒（介子推母与推俱隱
綿上山中。晋文公焚其山。終不出而焚死）嗚呼孝
女德茂。此凄何者。大國防禮。自修豈況。庶賤露屋
草茅。不扶自直。不斵自雕。越梁過宋。比之有殊。哀
此貞厲。千載不渝。嗚呼哀哉（辭曰）名勒金石。質之
乾坤。歲数歷祀。立廟起墳。光于后土。題昭夫人。生
賤死貴。利之義門。何悵華落。飄零早分。葩艷窈窕。
永世配神。唐堯三女。為相夫人。時效彷彿。以昭後
昆

背有八字曰黃絹幼婦外孫齏臼（齏音齎平声○漢議郎蔡邕聞之。來觀夜闇。以手摸其文而讀之。邕題八字云）**操曰待朕思之**（曹操不解問脩曰。郎知否。修曰知之。操曰且勿言。待孤思之）**行三十里令修解**（操令修解其義）

曰脩言黃絹色絲絕字。幼婦少女妙字。外孫女之子好字。虀臼受辛辭字。虀臼之義詳見前第四卷評論類受辛之下。○委曲而言乃是絕妙好辭曹操曰一如朕意有智無智校三十里

大手

涗人作文寫字。曰敢煩大手唐蘇頲亭上声封許國公頲字廷碩張說說音悅封燕國公以文章顯稱望略等畧。齊也。當時二人。皆以文章顯名於世為時人之所稱故名望齊而同等時號燕許

大手筆晉王珣音荀夢人以大筆如椽與之語音遇告也人曰當有大手筆事果武帝崩哀冊謚議皆珣所草死以行称曰謚周公始立謚法按生有其善則称則謚曰某悪亦如之謚議曰議謚號之

五鳳樓手

推音吹工於文者。有造五鳳樓手六帖韓浦蒲上声與弟洎音器皆有文辭。洎語人曰。予兄為文。譬繩樞草舍聊避風雨繩樞以繩係戶樞予之為文是造五鳳樓手。浦聞。因人寄蜀牋題詩寄洎曰浦既聞弟之說因有人寄蜀中牋紙遂題詩于牋紙以贈弟云十樣鸞牋出益州益州蜀地新來寄字浣溪頭。老兄得此全無用。助汝添修五鳳樓。洎大慚上句言得此者得此牋紙也特以此牋紙相助汝添修五鳳樓之文

青錢萬選

屡試屢中去声下同之文屡数也曰青錢萬選唐

曰言猶黃絹色絲（絕）字，幼婦少女（妙）字，外孫女子（好）字，齏臼受辛（辭）字。[illegible]曹操曰：一如朕意。有智無智，校三十里。

大手 說人作文章曰：須大手（唐）蘇頲[illegible]國公，張說[illegible]國公，以文章顯，[illegible]

大手筆（晉）王珣[illegible]夢人以大筆如椽與之，[illegible]人曰：當有大手筆事。果武帝崩，哀冊謚議皆珣所[illegible]

章[illegible]推[illegible]

五鳳樓手 言工於文者，有造五鳳樓手。（唐）韓浦與弟洎[illegible]皆有文辭。洎語人曰：予兄為文，譬繩樞草舍，[illegible]風雨；予之為文，是造五鳳樓手。浦聞，因人寄蜀箋[illegible]詩[illegible]十樣鸞箋出益州，寄來浣溪頭。老兄得此全無用，助爾添修五鳳樓。洎大慚[illegible]

青箋 [illegible]曰[illegible]（唐）

張鷟崇入聲又倉角切八以制舉皆甲第科目次第。有甲科一科第一甲及第。謂登甲科射策。上者為甲。次者為一員音運半千稱鷟文辭。猶青銅錢萬選萬中青銅可貴者以故中選時號青錢學士

錦心繡口 稱文士錦心繡口。錦繡心肝 **李白贈序** 嘗醉目語曰凡心肝五臟皆錦繡耶不然何開口成文

抽黃對白 稱駢儷之工抽黃對白 **柳子厚文** 抽黃對白啽音弇哢音弄飛走 **柳注** 啽哢鳥声也。釋文啽。啽黑不言。哢。鳥吟也。駢四儷六言四六之文駢儷者也

宿構 宿音粟預先擬下文字曰宿構 **魏志** 王粲字仲宣善屬音燭文屬緝之舉筆便成無所改定時人常以為宿構宿隔夜也構成就也

倚馬可待 作文敏捷倚馬可待 **唐** 李白嘗曰請試萬言萬言。萬箇字也。倚馬可待

官樣文章 稱美人文字官樣文章 **宋** 夏英公以文謁盛度英公名竦度曰子文章有館氣歐公名脩云文章兩等。有山林草野之文有朝廷臺閣之文山林之文其氣枯槁臺閣之文其氣溫潤 王安國嘗曰。文章

張鷟（[illegible]）[illegible]入以制舉登甲第（[illegible]）

（[illegible]）員半千稱鷟文章猶青銅錢，萬選萬中（以青銅錢中可選[illegible]）時號青錢學士。

錦心繡口 [illegible]文士錦心繡口。錦繡心肝

[illegible] 嘗醉，日語曰：兄心肝五臟皆錦繡耶？不然何開口成文。

抽黃對白 駢儷之工，抽黃對白。**[illegible]** 抽黃對白（[illegible]）[illegible]也。又駢四儷六（四言六言[illegible]之文謂駢儷）

宿構（[illegible]音[illegible]）預先擬下文字曰宿構。**唐** 王勃字子安（[illegible]屬文之際）舉筆便成，無所改定，時人以為宿構（[illegible]成[illegible]也）

倚馬可待 作文頃刻，倚馬可待。**唐** 李白上書曰：請日試萬言，倚馬可待（謂語言也）

官樣文章 稱美人文字官樣文章。**宋** 夏英公以文謁盛度（字公量），度曰：子文章有館閣氣。歐公（脩）云：文章兩等，有山林草野之文，有朝廷臺閣之文。山林之文其氣枯槁，臺閣之文其氣溫潤。王安國語曰：文章

須要官樣

潤筆 作文得錢曰潤筆之資 **隋** 文帝令李德林作詔復鄭譯音亦爵沛國公復沛国公之爵祿位上柱國官位則至上柱國高頴戲譯曰筆乾音干譯荅曰出為方岳為方岳言當方面如古四岳也如今之行省宣尉同也杖策言歸不得一錢何以潤筆

韉線 自謙韉線短才 **唐** 韓昭祖粗有文章人曰。韓八座才昭祖仕王氏一為禮部尚書琴棊書筭皆涉獵如折韉線無一條長

八音五色 獲觀八音五色之文 **馮異送皇甫湜舉** 馬蹄聲特特奔去天子國借問去是誰秀才皇甫湜含吐一腹文含疑當作涵八音兼五色。主文有崔李主文。考官也。崔。崔雲。李。李兼。郁郁為朝德青銅鏡必明言崔李二人。考文若青銅鏡之明朱絲繩必直稱意太平年。頤子長相憶

○詩詞賦類

八乂手 稱能賦手曰八乂手八吟 **瑣言** 温庭筠工賦每入試作賦八乂手而八韻成八者八次也。 **摭言** 庭筠作賦未嘗起草一吟一韻場中號温八吟郎八乂手而八韻成○唐宣宗未年授方山尉

擲地金聲 **晉** 孫綽作天台賦辭致甚工以示范榮期

擲地金聲 孫綽作天台賦辭致甚工以示范榮期
未韻手成投○方唐山宣尉宗
作賦未嘗起草一吟一韻驚中號溫八吟手叉而八叉
每入試作賦八叉手而八韻成改八吟也○又為八 溫庭筠
八叉手 稍能賦手曰八叉手八吟 溫庭筠工賦
○詩詞賦類
鐵之明朱絲繩必直稱意太平年顧予表相憶
文崔雲青銅李○蕪也○柳所為朝德青銅鏡必明言二入○孝李
主湯含吐一腹文許含蕪當入音萬五色○主文有崔李

馬歸對詩奔去天子國借問去是誰秀才皇甫
入音五色 擅觀入音五色之文
運才尚昭書祖李任某王氏一書第告為禮部如折檻無一條木
讚線 自謙韓線短才 唐 韓昭祖有文章人曰韓八
之面汎如省古宣四副告同也如今林攻策言歸不得一錢何以潤筆
國 高頭擬譯曰筆乾千音譯各曰出為方言言為當方方言
復鄭譯亦音辭沛國公之復辭沛徐國公位上柱國至官上位柱則
潤筆 作文得錢曰潤筆之資 隋 文帝令李德林作詔
須要官樣

曰卿試擲地當作金聲榮期曰恐此金石非中宮商

珠玉 謝人惠詩辱貺珠玉（杜詩）和賈至早朝詩成珠玉在揮毫 詩既成字字皆珠玉揮毫而寫（歐公詩話）梅聖俞與蘇子美齊名一時子美如盈前珠玉不可揀汰 音捷○盈滿也。汰過也。猶去也。言子美之詩皆極好如滿前之珠玉。不可揀去也

水在雪車 音尺 稱好詩水在雪車之句（唐）劉義作水在雪車十二詩見韓愈出盧仝孟郊之右

陽春白雪 褒詩詞高陽春白雪之歌（文選）客有歌於郢中者如為下里巴人 下里巴人詩曲名 國中和者數千人今為向陽薤露和者數百人為陽春白雪和者數十人引（商）（列）（羽）雜以流（徵） 音止○宮商角徵羽五音也 和者不過數人其曲彌高其和彌寡

壓倒元白 稱人佳句壓倒元白（唐）寶曆中 敬宗年號 楊嗣復大宴元稹白居易亦預賦詩惟楊汝士詩最佳元白歎服 其詩曰隔坐應知賜御屛。畫將仙子入高宾文章舊價留鸞掖。桃李新陰在鯉庭。再歲生徒陳賀宴。一時良史盡轉聲。當年疏傳雖云盛。詎有茲賢醉醁醽。第三四句乃警語也 汝士醉歸。語子弟曰我今日壓倒元白

七步之才 美詩成敏速 美讚美之也 有七步之才（世說）陳

思王曹植魏文帝弟也（曹植封陳思王）帝嘗令七步作如不成行大法植即應曰煮豆燃豆萁（燃燒也萁豆莖也豆者曹植自喻豆萁喻文帝也）豆在釜中泣（豆在釜中声如涕泣之狀）本是同根生（文帝與植同父猶萁與豆同根而生也）相煎何太急（相煎逼何太甚）文帝感而釋之

楓落吳江 僅有好句是亦楓落吳江崔信明鄭世翼遇諸江中（諸助語辞）曰聞君有楓落吳江冷之句願見其餘信明欣然出衆篇世翼覽未終曰所見不逮（及也）所聞投諸水引舟而去

錦囊 作詩曰錦囊得句（唐）李賀每旦日出騎弱馬從小奚奴背古錦囊（奚奴古者有罪被誅從坐男女沒入縣官為奴其少有才而以為奚令之侍史官姓也）遇所得書投囊中暮歸足成之母令婢探囊見所書多。曰是兒嘔出心肝乃已

敲推（他回切）吟詩下字未定曰向欠敲推（唐）賈島於京師騎驢得句。鳥宿池邉樹僧敲月下門始欲著（張入聲）推字。又欲下敲字揀未定引手作敲推勢（敲以手擊門也推以手相送進也）時韓愈權京尹島不覺衝至第三節（第三節左今第三對頭踏也）左右擁至尹前島具道所得愈曰敲

思王曹植魏文帝弟也曹植封陳思王帝嘗令七步作詩

不成行大法植即應曰煮豆燃豆萁萁豆莖也

植自喻豆萁喻文帝也豆在釜中泣豆在釜中泣喻己之苦本是同根

生文帝與植同父猶萁與豆同根而生也相煎何太急言文帝何相煎太急

慚而釋之

楓落吳江

崔有好句云是矣楓落吳江冷崔信明鄭世翼

遇諸江中謂語曰聞君有楓落吳江冷之句願

見其餘信明欣然出眾篇世翼覽未終曰所見不

逮及也所聞投諸水引舟而去

錦囊

作詩曰錦囊得句(唐)李賀每旦日出騎弱馬從

小奚奴背古錦囊奚奴小僕遇所得書投囊中暮歸足成之母令

婢探囊見所書多曰是兒要嘔出心肝乃已

敲推

切也四今詩下字未定曰尚欠敲推(唐)賈島赴京

師騎驢得句鳥宿池邊樹僧敲月下門始欲著

推字又欲下敲字練未定引手作敲推勢擊門以手推

時韓愈權京尹島不覺衝至第三節

節頭路也左右擁至尹前島具道所得愈曰敲

字佳與並轡歸為布衣交

遏雲遶梁 稱獎善唱。遏雲遶梁昔秦青撫節悲歌聲振林木響遏行雲 薛譚學歌于秦青自謂盡之矣。辭去秦餞于郊撫節悲歌声振林木響遏行雲譚乃謝終不敢言歸(出博物志) ○曹娥東之齊匱 奏去声 粮 曹娥曹旴之女至孝匱乏也○舊本作過雍門鬻韓娥以群王歌字下考之則是曹娥 賣也 歌。假食而去。而餘音遶梁。三日不絕 逆旅或辱曹娥娥因漫声哀哭一里悲愁泣涕娥復漫聲長歌一里歡躰舞蹈乃厚格遣之(出博物志)(釋注)体音片喜悅也

○書翰類

尺素 書翰曰尺素(鯉素)(魚書)(古樂府)客從遠方來饋我雙鯉魚呼童烹鯉魚。中有尺素書長跪讀素書中意何如。上有加飡飯。下有長相憶

咫尺之書 咫音止 敘通書云奉咫尺之書(漢)(韓信傳)李左車 音尺 曰發一乘之使。奉咫尺之書 八寸曰咫韓信既破趙。獲李左車鮮縛師事之請左車為書遺辨使奉於燕其書曰。信聞黃帝臨朝。蚩尤作乱。堯王治世苗裔不君。禹舜非有道之君。桀紂豈不仁之主。盖為亂臣賊子。害義辜恩所以伸怒天下。客好事在月前令承天命。權旌掌節。腰懸金印。捧轂推輪。手執黃旗持賜斧鉞。驅萬隊之兵甲。掃四方之妖孽。先修棧道。次襲散關。涉西河。虜魏豹。擒夏悅。斬張仝。擬陳餘於馬前。度精兵於陸口。感黃龍之相助。有白鹿以抱泉。韋河布陣。靠岸排軍。今有雄兵三十萬名將一千員。磨刀則太行山缺。飲水則孟水河乾

怒目則鬼哭神號。叱聲則河翻海沸。今者水陸並進。舡騎雙行。想燕邦止在目前。覩各城如同掌信。聞燕趙二國。唇齒之邦。唇今既喪。齒又何安。信不欲逼城下寨。權于界首屯軍。書如到日。若能倒戈獻城。群臣納降。免致黎民枉遭塗炭。○大漢左丞相天保大將軍閫外六國都招討正東破楚大元帥韓信書心燕王見書疾速而降

鴈帛 寄書云傳鴈帛（鴈書）（漢蘇武傳）常惠教漢使者曰。天子（昭帝）射上林中。得鴈足有繫帛書言。武在大澤中（武帝時蘇武為中郎將使單于。單于欲武降。武不肯。使武至北海無人處。牧牡羊。牡羊生子則放回。漢使至單于。單于詐言武已死。使者誑單于天子射鴈得帛書。武在大澤中牧羊。單于不能隱。遂得還）（范彥龍詩）寄書雲間鴈。為我西北飛

朶雲五雲郇雲郇翰朶翰 （唐）韋陟。封郇國公。常以五綵牋為書記。使侍妾主之。裁荅受意（受意使受己意以裁荅也）陟惟署名（署書鴈也）自謂書陟字若五朶雲。人號郇公五雲體

竿牘 自稱書簡曰竿牘（莊子）（列禦寇篇）小夫之知不離苞苴竿牘（裹曰苞藉曰苴或以茅或以葦苞苴裹魚肉也言以切相遺也竿竹簡牘木簡言相勞問也）

子墨客卿 敘貢書云謹呼子墨客卿（楊雄長楊賦）（長楊秦漢宮名）卿因筆墨之成文章故籍翰林以為主人（籍借）

也翰林號為主人故籍之子墨客卿以為諷他國人未仕者客卿子墨號為客卿故籍之以為諷勸

銀鉤玉唾　謝人惠書云辱銀鉤玉唾（珠唾繭紙）紙似繭而澤（山谷詩）銀鉤玉唾明繭紙銀鉤者字之健而鐵畫銀鉤玉唾者文辭之好如吐唾珠玉。而明耀於繭紙之上松箋刪入声清涼并送似松箋扇也言松箋有清涼并以相送（李詩）欬唾落九天隨風生珠玉王逸註天。問曰東方皞天。東南陽天。南方赤天。西南朱天。西方成天。西北幽天。北方玄天。東北変天。中央鈞天。後漢趙壹歌曰勢家多所宜咳唾自成珠

金薤琳琅　稱人文字。金薤琳琅之篇（韓詩）周籍張李杜文章在韓退之有取于李白杜甫作此詩而專美之也炫熖萬丈長舊本熖作艷西京賦光熖燭天庭平生千萬篇金薤垂琳琅金薤書也古有薤葉書。古文似科斗薤書如薤葉。琳琅石也。言李杜文章。播於金石云尒仙官敕六丁道書陽官六丁。陰官六丁。六丁者。六甲之中。丁神也。雷電下取將（異人記）云上元中含州道士王遠知善易知人死生禍福作易總十五卷。一日雷雨雲霧中一老人語遠知曰所泄者書何在上帝命吾攝六丁雲電追取上方我文自有飛天保衛金科秘藏玄都汝何者輒藏緗帙遠知曰青丘元老傳授也○韓公讚李杜之文極好若遠知所作之易六丁下取也

玉珮瓊琚　稱人文字玉佩瓊琚之辭（韓公祭柳子厚文）玉佩瓊琚。六放厥辭讚子厚在世。作文之美而大放玉佩瓊琚之辭

文王佩璆琳六政關韓日大政王佩變作紀文之美

王佩 綷入文字王佩璆之韓令稱子房

瑶立行元右光衰傳知授所也林○之韓易六六諸丁李取之也文敢文遠自知有口飛音天

傳上國帝全命計吾授職藏六京丁部字波雷向也諸取職上之藏方細校文遠自若書何各在一

中主雷全而變雲知善書中毒知一甚入人死也語主喬福知福曰符功身元遺十中合州一道上

丁陽官衣六車甲了入際神工也雷霆下取時異入記云

石書也言文字杜社十文章諸書六金鐵石葉六林泉仙宮教六丁畫道

書謫西文京故廷社林平生千萬篇金蓮臺林泉古金有鐵書章也

文章在南韓光作也以之有詩有采千李詩美李白也杜濤沿詩大夫諸書作本

昔言故事 人壽六十一 十九

金蓮林泉 人文字金蓮林泉之篇韓昌詩 國泉李杜

名後方門良言明之 而漢成曰并杜羅好 宜強天東以蓬方 如宮西方相有 清雲北樓 明之 玉字 天

寶 山谷詩 銀鉤 王書 明 鐵鎖 綠約 鐵石

銀鉤王書 詞人畫六兩銀鉤王運璧麗紋

以仰 為故 詩 調畫 助之

主也 論入林故譜 之為 于墨客卿以為詞客 也 鄉國 子入 墨未 蕭中 為之 客

白絹斜封 謝人惠書云辱白絹斜封之賜盧仝謝孟諫議惠茶[歌]日高丈五睡正濃（日上已高一丈五尺而睡思方濃盛）軍將扣門驚周公（軍將吏卒扣打門户驚覺周公之夢。蓋孔子夢周公。）口傳諫議送書信（口頭傳道孟簡諫議送至書簡信物）白絹斜封三道印（用白絹斜其封上有三道印記）

圭復 披復來簡曰圭復（圭謂白圭之詩也。復三復讀誦也）[三復][論語]（先進篇）南容三復白圭（南容孔子弟子居南宮。名滔。又名适字子容謚敬叔南容欲謹身修言行之道故每日三復白圭之詩。白圭詳下文）孔子以其兄之子妻之[抑詩]（詩大雅抑之篇）白圭之玷（音店）尚可磨也（玷。病也。言白玉圭之有瑕病尚可磨去而平之）斯言之玷。不可為也（言語出有病而為過失則不可為也。言不可救也。）

琢藏十襲 叙得書敬當琢藏十襲宋之愚人得燕石於梧臺之側藏之以為大寶革櫃十重緹（音提）巾十襲（此一段見前七卷哂笑類胡盧之下）

萬金 稱家書曰萬金[杜詩]（春望）烽火連三月家書抵萬金（十里一舉烽火以報軍情言世乱三月連舉烽火家書斷絶若得家書可抵萬金之重）

華星秋月 称人書翰華星秋月之章[杜]兩章對秋月。一字偕華星（覩兩章之文若對秋月之清明其中但一字皆若星之光華）

一字惜華星其餘章文若對秋白之清明中兩但一字皆若星之尤華

華星秋月 杼入書翰華星秋月之章（杜）兩章對秋月。

金烽火十里家書一紙衙涕恭以得報家書可言世亂萬金三月連舉

萬金 稱家書曰萬金（杜詩）望春烽火連三月家書抵萬

襲此一段見前卷之十七西笑一顛胡盧下卷

於梧臺之側藏之以為大寶華櫝十重緹巾十

珠藏十襲 敘得書欲當珠藏十襲宋之愚人得燕石

可為珍藏也。言不平尚之可為語也。則不可可言語不可為也。

斯言之玷。不可為也

之（抑詩）白圭之玷尚可磨也抑詩之大雅曰白圭之玷音尚可磨也。王言之玷

三復白圭南容三復白圭 孔子以其兄之子妻之 論語先進 南容讀詩至白圭之詩三復之

圭復 復來簡曰圭復（三復）

上用 有白 三絹 道紵 印其 記封議 送頌至書 簡蓋信 物辭 白紵三道印

諫議送書信口傳周公聞之乃亦作 門人 運將如門驚周公 白紵封三道印

諫議茶（盧）曰高大五應正濃

白紵封 謝人惠書云原白紵封之賜盧仝謝孟

尺牘（漢）陳遵善書與人尺牘主者藏之以為榮

平安　潛寄平安之問（杜詩）可憐懷抱向人盡為問平安無使來杜甫遇安祿山之乱不得骨肉消息故發此嘆

寒暄　潛申寒暄之問（杜呈蘇渙）裴虬為道州刺史。以手札奉杜杜甫于是遣興作此詩呈蘇渙不似裴虬寄以手札時渙侍御在潭久客多枉朋友書素書一月凡一束虛名但蒙寒暄問泛愛不救溝壑辱泛。廣也言其雖廣愛不能救塡溝壑之辱者

手札　過蒙手札寵頒（杜）此下四句與前相接道州手札適復至紙長要自三過讀盈把那須滄海珠裴書盈把入不須珠

懷本倚崐山玉裴書入懷本如倚玉

藻翰　寵頒藻翰（書札）（札翰）（杜贈盧琚）盧琚忝謀為藻翰惟韋率昔謝宣遠荅謝靈運韋率酧嘉藻于是杜甫引之以贈盧琚（又寄嚴鄭公）嚴武封鄭國公幾回書札待潛夫後漢王符隱居著號潛夫論杜甫引之以贈嚴公（又送韋評事）札翰時相投

來札　來札所諭（來書）（杜送長孫漸）長孫覆姓會面思来札杜公送長孫舍人歸州言今前後欵得重會則思来札以諭（又別常徵君）各逐萍流轉來書細作行音杭〇言浪跡皆若浮萍而无定所後来寄書子細列行報知庶知蹤跡安否

尺牘（選）陳遵善書與人尺牘主皆藏之以為榮

平安 借寄平安之問（杜詩）可憐懷抱向人盡欲問平安無使來杜甫遇安祿山之亂不得骨肉消息故發此嘆

寒暄 借中寒暄之間（杜）呈王蘇（渙）裴虬為道州刺史手札來杜甫杜甫是遣興作此詩呈蘇渙不以柴札寄以手札時渙侍御在渾久客多枉朋友

素書一月凡一束虛名但蒙寒暄問泛愛不救溝壑辱泛廣也言其雖廣愛不能救填溝壑之辱若

手札 過蒙手札寵頒（杜）此下四句與前相接

絳長夜要自三過讀盈把那須滄海珠來裴書盈把不須珠

懷本倚况山王本集書如倚人王懷

藻翰 寵須藻翰（書札）札翰（杜）贈盧琚盧琚為參謀藻翰推

牽率晉謝宣遠答謝靈運率酬嘉藻于是杜甫引之以贈盧琚（又）寄嚴鄭（公）

嚴武封鄭國公幾回書札待潛夫後漢王符隱居著潛夫論杜甫引之以贈

公（又）送章評（事）札翰時相接

來札 來札所論（來書）（杜）送長孫（衛）侍御會面思來札

後語得重會則思來札以論所杜公送長孫令入歸州言令行（又）別常徵（君）各逐

萍流轉來書細作行无定所○音杭以言流萍寄書子細列行而

誤認安無否知

短札 以書與人曰僭貢短札（諸葛亮碑）頓奮短札以排群議

數行 書僭貢數行書（一行書）（杜甫酬嚴公寄題野亭之作）拾遺曾奏數行書此蓋杜公自言以酬嚴公。杜公嘗為左拾遺按唐拾遺我掌諷諫及供奉（又寄高詹事）高適唐肅宗持太子少詹事相看過半百半百五十歲不寄一行書

消息 消息茫然（杜詩）送路六侍御入朝童稚情親四十年。中間消息兩茫然言自為童稚之時情意甚相親愛今之別後消息茫然。更為後會知在何地

○祝頌類

生經（莊子）庚桑楚之篇姓庚桑名楚南榮趎音樞至老子之所老子太上老君也曰趎問頭聞緯生之經榮趎問養生理性之經。老子曰緯生之經不離其性。抱守其一。履道則吉。狗物則凶云云如赤子則可身若槁木之枝而心若死灰若是者禍亦不至福亦不來禍福無有悪有人災也（釋注）惡音烏

四印 敢覬音計寶四印覬失望也（山谷贈張叔和詩）我提養生之四印四印見下文君家所有更贈君謂以其人所能还戒其人之身百戰百勝。不如一忍。萬言萬當去声不如一默此四印養生之術也

五官 珍五官 珍猶寶重也 荀子耳目鼻口形 此則五官也 能各有接 耳之所接聽也。目之所接視也。鼻之所接臭也。口之所接言語應對也。形之所接一身舉動之間也 而不相能也 相共也 五官各主其一而不共能其事也 夫是之為五官 上文所謂各有接而不相能之為五官也 心居中虛以治五官 心主于中而虛靈不昧專治五官而使之不妄動也

觀頤 觀頤厚養易頤卦 ䷚ 山雷頤 觀頤 頤養也 觀其所養 頤之為卦上艮止也下震動也 頤者人之頷也 上止下動為口之象也 自求口食 自反以求其口中之食 審寃頤養之道於己 貞吉 於是貞固則吉也

視履 視履迎祥易履卦 ䷉ 天澤履 視履考祥 履道既成而陽剛居上獨有正應故能視其所履行而考察其祥兆也 其旋元吉 旋反于身而踐履之則大吉也

○起居類 附問候

燠館凉臺 冬用燠館 燠煖也熱也 讚人冬寒之際居煖熱之館也 夏用凉臺 唐裴度傳 燠館凉臺

燕居 燕居申如 論語 述而篇 子之燕居申申如也 朱子曰燕居閑暇無事之時 楊氏曰申申其容舒也 程子曰此弟子善形容聖人處也

泳涯 泳涯餘暇 文藝傳 亭涵泳聖涯 涵濡也 泳如潛行水中 涯水際也 ○言涵泳聖人之道而造其極處如潛行水中而至水之涯際也 嚅音儒 嚌音剤 道真

嚅嗜嘗也又云咀嚼之義○窮究知道之真若嘗飲食而知味之美也

味道 味道餘閑（荀子）味道之腴（腴肥厚之味也究道之深而知其味猶知肉肥厚之味也）

起居 台候起居（書冏命篇）出入起居罔有不欽（此周穆王命伯冏曰我不能于德繼前人居大君之位恐出入起居罔有不欽汝當明爭顯諫我於昭昭之際使我中夜興思所以勉其咎過（釋注）冏音窘）

萬福 簡簡（詩）萬福攸同（攸所也）降福穰穰（穰穰多也）降福簡簡（簡簡大也）

○神相類

清寧 清寧夾介高厚維持（老子法本篇）天得一以清（一無為道之子天得之以故清天若不清將恐裂裂分也）地得一以寧（地得一以故寧地若不寧恐發泄也）（記）高明配天（配對也言人既無虛假存諸中既久故其積也高大而光明所以配天）博厚配地（其積也廣博而深厚所以配地）

天人 天人佑助（易）天之所佑者順也（佑助）人之所助者信（助佐也益也）

護持 神物護持（劉禹錫詩）在在處處神物護持

○字學類

識字憂患（坡詩）人生識字憂患始姓名粗記可以休

識字憂患 詩 人生識字憂患始 姓名粗記可以休

○字學類

讖持 神物讖也 劉禹錫詩 在在處處有神物護持

天人 天人 書 天之所佑者順 人之所助者信 [illegible]

天人 記 高明配天 博厚配地 [illegible]

清寧 清寧天地之德 老子 天得一以清 地得一以寧 [illegible]

○神相類

萬福 萬福 詩 萬福攸同 所降福穰穰 降福簡簡 大簡也 [illegible]

居后 起居 書 出入起居 罔有不欽 [illegible]

味道 味道 子味道之腴 [illegible]

臨池學書 張芝臨池學書池水盡黑（水之黑者洗筆洗硯也）

隸字〈書斷〉秦時奏事繁多篆字難成即令（平声）隸人佐書（隸人僕隸）故曰隸字

草聖 稱人草字好曰草聖張旭善草書大醉呼叫狂走乃下筆或以頭濡墨而書（頭字之義未詳）既醒自謂草聖（自謂其字之好為草書聖人）

不暇草書 張芝下筆必楷則（則字連上句讀則訓為法或連下句讀則為助語辭）號怱怱（音聰）不暇草書

八體書〈說文〉秦燒焚先典廢古文用八體一曰大篆

二曰小篆（小篆秦相李斯所作也）三曰刻符四曰摹印（摹印印文）五曰虫書（書于幡）六曰署書（門題可用）七曰殳書（音殊）（銘于戈戟）八曰隸書（秦時程元岑易小篆而為隸書）**書斷** 篆籀（音宙○凡篆之体敍頭屈王羆足垂金籀周宣王大史作大篆）八分（蔡姬剣傳曰隸字法去八法謂去八分取二分也李斯小篆去二分取八分故曰八分）隸書（見上文）章草（法與有草書不知作者姓名至章帝時杜伯度等善草書章帝愛之上表亦作草字故謂之章草）草書飛白（飛白書者蔡邕作也本是宮殿題署勢既勁大字宜輕微不滿名為飛白）行書（真字帶筆也）通謂之八體書

試筆書永 令人試筆先書永字〈法苑〉王逸少（即羲之）工

書十五年中工書永字以其八法之勢能通一切字永字八畫也

遊雲驚龍 稱字好曰遊雲驚龍之勢羲之善草書論者称其筆勢飄若遊雲矯若驚龍

書几 王羲之嘗詣門生家見華几滑淨因書之真草相半其父後誤拭去門生驚懊焉懊音奥。懊惟恨也

○字辨類

僥倖徼幸 僥倖僥倖与徼幸同〈莊〉在宥篇此以人之國僥倖也幾何僥倖而不喪人之國乎僥求也倖所謂不當得而得者何得不喪其國乎。

考之莊子在有篇且無所載姑存之〈中庸〉小人行險以徼幸險者反中庸也徼幸者求其理之所不當得故多悉允

猶豫冘豫 冘音由不決曰猶豫〈楚辭〉以猶豫而狐疑兮猶豫詳見前第一卷壽考類春秋高矣之下。狐疑狐性多疑每度河沙無声方渡〈馬援傳〉冘豫未決

周章夷猶 〈家語〉五儀篇孔子曰此孔子對魯哀公而言云云出於四門出国四門之外周章遠望周匝見遠望者。哀公問於孔子曰雖然寡人未嘗知哀知憂知勞知懼知危於此。但率知懼之一事孔子言為君者有国則當深遠而思出于四門周章遠望观亡国但城必有定数君以此思懼則懼可知矣

誰何　言勢强莫敢誰可（賈誼過秦論）信臣精卒陳利兵而誰可親信之臣精銳之卒陳列快利之兵器而誰敢問此言秦之强也

趦趄次且趦音咨趄音咀字見周易（韓公送李愿序）足將進而趦趄韓公送李愿歸盤谷托愿自言謂人之稱大丈夫者不遇當時之用求進公卿之門足將進而退縮不前李愿所不肯為也

旁牛（唐）劉晏公卿邀請旁牛已見前第八卷諸科類童子科之下

覬覦音計余　有望欲覬覦（左）桓公二年師服曰晉大夫言于晉昭侯曰民服事其上上下定則民志服故民皆盡心力以服事其上而下無覬覦居下位者不敢覬望上位○此蓋晉昭侯封其救成師為曲沃伯于是師服曰吾聞國之立也本大而末小是以能固謂以大制小故能安国是以民皆盡心以服事其上居下位者則不敢望上位今若割曲沃以封成師晉弱矣其能久乎

抗髒骯髒伊優抗骯音康上声髒莊上声（後漢）趙壹歌曰伊優北堂上伊優屈曲姿媚之貌言佞媚者見親而居于北堂之上抗髒倚門邊抗髒高亢好直之貌言好直者見弃而倚門邊（唐韻）骯髒體盤也盤安舒也

齟齬枘鑿齟徐上声。齬音語枘音芮鑿音造　不相入曰齟齬（匀注）齟齬齒不正齒不相對也（楚辭）九辯○屈原弟子楚大夫宋玉之所作也閔惜其師忠而放流故作九辯以述其志圜圓同鑿而方枘兮圜鑿方枘不能相合以其道異故不能相安賢者之居乱世亦猶是也

知鉏徐上声鋙而難入鉏鋙相距貌○

君子之心正直小人之心邪㴲每每相反似此不合而難入

冰炭 不合曰冰炭（白居易歌）合冰炭以交戰夫冰炭非等類之物豈敢相合强以合之則是交戰秪自苦乎厥心厥其也强欲合于冰炭自若於其心矣

參商 不相見如參商（參辰）（杜詩）人生不相見動如參與商（揚子）吾不知者參辰之相配也辰。即商星。配合也參商無相見之理言若能相合吾則不知也○詳見前第三卷間闊類參商之下

區區 小也 惠人物曰效區區（嵇康書）野人快炙背野人向日炙背而快意美芹子頋獻之至尊雖有區區之意則已

疎矣詳見前七卷餽送類獻芹之下

落落 不合曰落落（耿弇傳）弇音弇光武曰光武謂弇而言將軍前在南陽建此大策常以為落落難合落、难合。師古曰言不相入也。贊曰落落猶疎闊也○光武建武五年耿弇平伏齊地光武自勞軍謂耿弇曰將軍前在南陽建立圖天下之大策常以為落落难合有志者事竟成也○此與前第六卷志氣類有志竟成之下通看

毷氉 音木思貌 敘瞻戀曰極竭毷氉之思（鮑宣傳）極竭毷氉之思毷氉標題云謹愿顑憝之貌

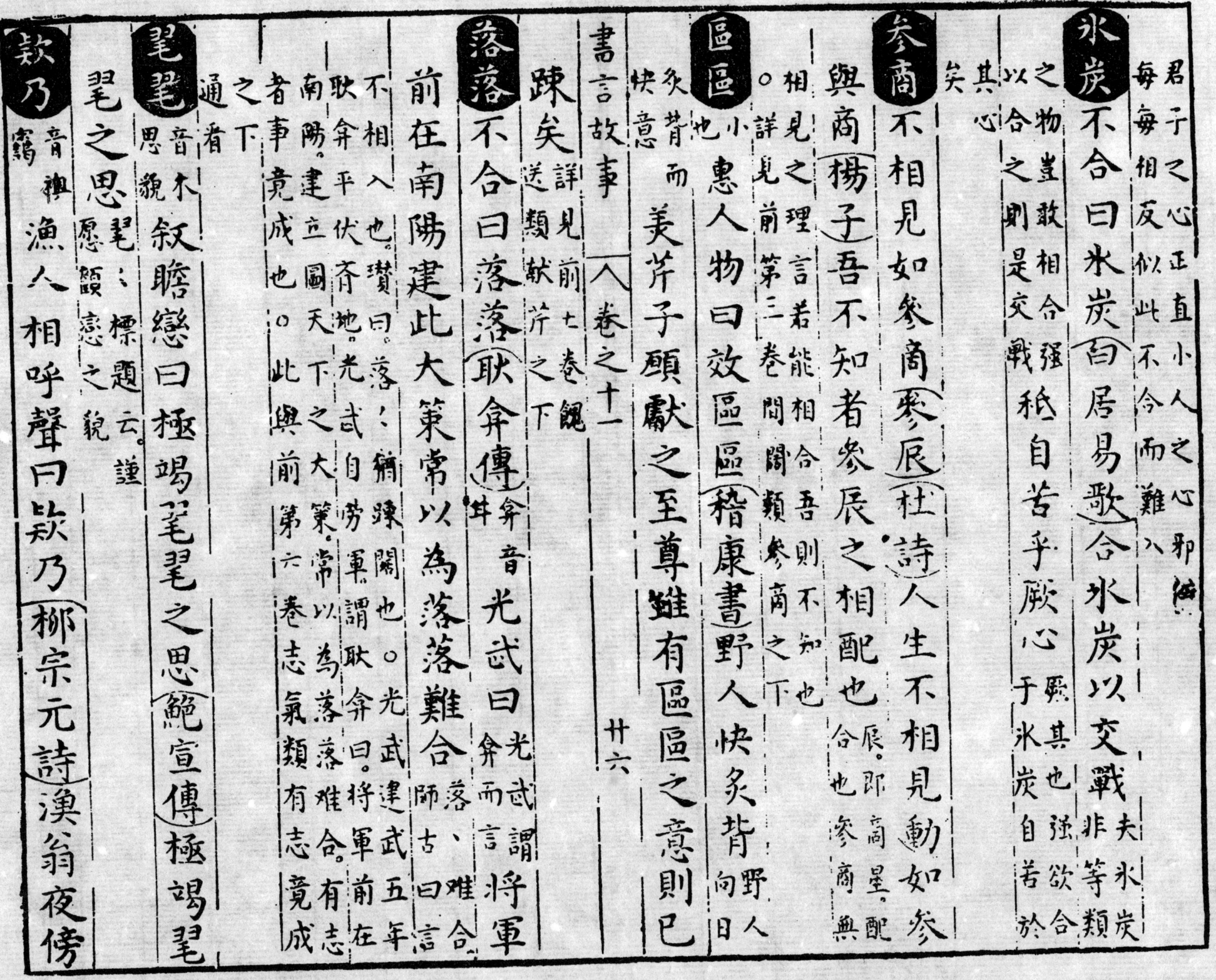

欸乃 音襖靄 漁人相呼聲曰欸乃（柳宗元詩）漁翁夜傍

君子之心以正直小人又難以爭 君子相友以此不合而入

【冰炭】不合曰冰炭（白居易詩）合冰炭以交戰 非夫冰炭類
以之合物之盡則與是相合 其心交戰自苦于冰炭自消

【參商】不相見如參商（杜詩）人生不相見動如參與商 ○相與商（[illegible]）于吾不知者參辰之相配也 參商星名

【區區】惠人物曰故區區（嵇康書）野人快炙背而美芹子欲獻之至尊雖有區區之意則已

疏矣

【落落】不合曰落落（耿弇傳）弇音 光武曰 將軍前在南陽建此大策常以為落落難合 有志者事竟成也

【覺思】之思 叔聽 蕊曰極品 之思（[illegible]傳）極品

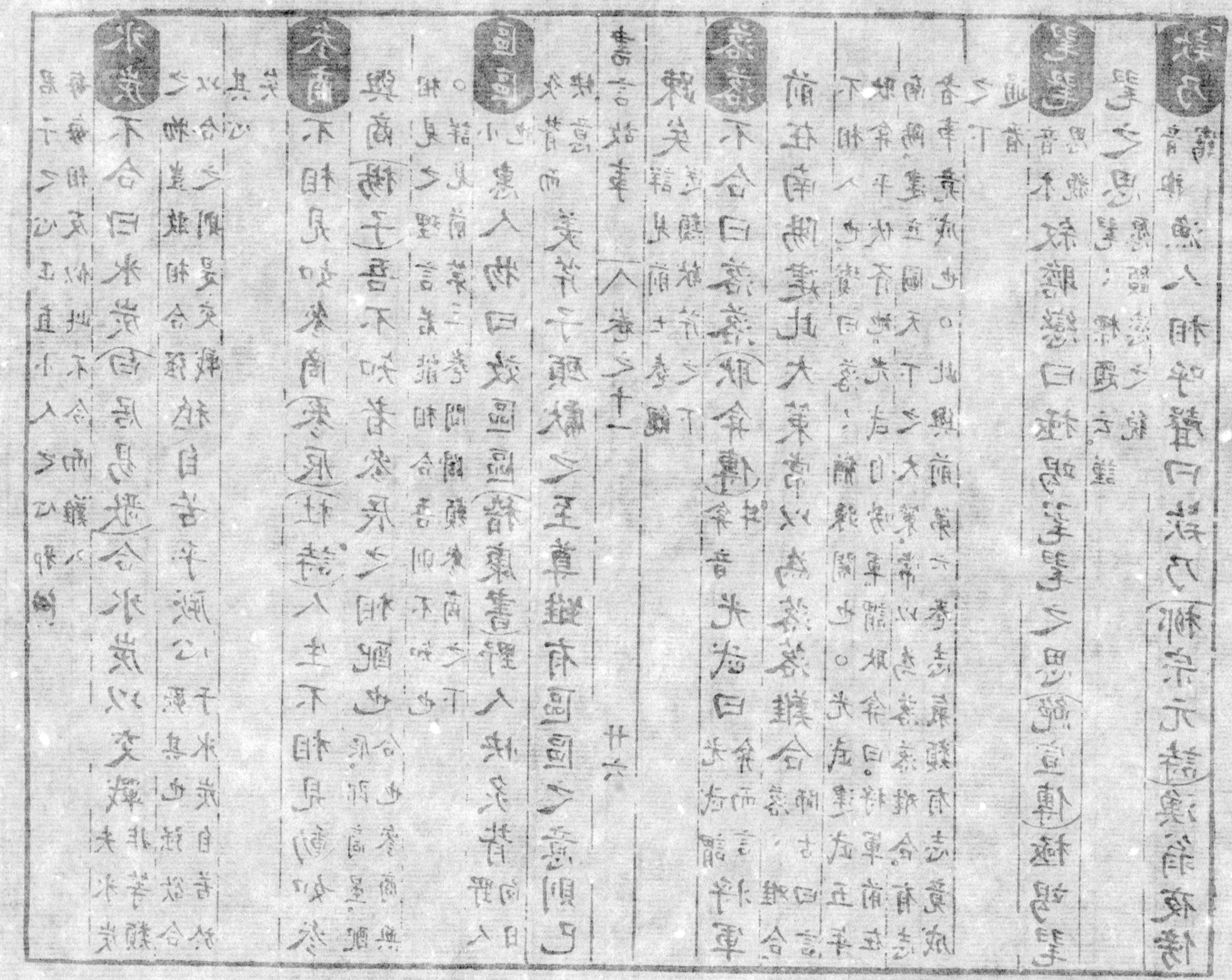

【拙巧】漁人相守聲口拙巧（柳宗元詩）漢沿夜憐

西巖宿曉汲清湘燃楚竹烟消日出不見人欸乃一聲山水緑欸乃歌声也。洪駒父音襖靄相和声然唐釣言吏詩夷女米山椒緝紗渡江水野花潘髻柒色鮮開歌暖洒深峽重暖洒声從何處生當特舞泣断腸声與不同同可疑

○禽獸比喻類

畫虎類犬 學高反誤曰畫虎不成反類犬標題云欲學豪勢任俠之高不成反被其害如盈虎不成反似犬也又見下鄭

刻鵠類鶩音木 學近庶幾曰刻鵠不成尚類鶩(漢)馬援戒兄子嚴敦曰馬援二姪好議論人長短援在交趾还書戒之云耳龍伯高敦厚周慎敦篤重厚周旋謹慎吾願汝曹效之杜季良豪俠

好義吾不願汝曹效之效伯高不得猶為謹勑之士所謂刻鵠不成尚類鶩者也刻雕刻也鵠鴻鵠也鶩鴨也李其誠篤雖不及亦近乎道如雕鵠不似尚亦似鳧鴨也效季良不得陷為天下輕薄子所謂畫虎不成反類狗者也

狐假虎威 倚勢作威曰狐假虎威(史)楚王問群臣北方畏昭奚恤何如楚王名昭奚恤江乙曰虎得一狐。狐曰。子毋音無食我毋者禁止之辭天帝令我長百獸不信吾為子先去声行。子隨後觀獸見皆走虎不知獸畏已以為畏狐也。今北方非畏昭奚恤實畏王甲兵也

西巖宿曉汲清湘燃楚竹烟消日出不見人欸乃

一聲山水綠[illegible]

[illegible]

○欸乃[illegible]

畫虎類犬 學鳥反誤曰畫虎不成反類犬[illegible]

[illegible]

刻鵠類鶩 本音學近庶幾曰刻鵠不成尚類鶩

戒兄子嚴敦曰[illegible]龍伯高

敦厚周慎[illegible]吾願汝曹效之杜季良豪俠

好義吾不願汝曹效之效伯高不得猶爲謹敕之

士所謂刻鵠不成尚類鶩者也[illegible]

(鵠不似尚亦似鳧鶩也鶩雖不及亦近乎[illegible])效季良不得陷爲天下

輕薄子所謂畫虎不成反類狗者也

狐假虎威 倚勢作威曰狐假虎威(史)楚王問群臣北

方畏昭奚恤何如(昭奚恤楚王名)江乙曰虎得一狐狐曰

子毋(音無)食我(毋者禁止之辭)天帝令我長百獸不信吾爲

子先(音去)行。子隨後觀獸見皆走虎不知獸畏己以

爲畏狐也。今北方非畏昭奚恤實畏王甲兵也

虎而翼 益已強之勢曰虎而翼（揚子）淵騫篇 或問酷吏 或人問酷虐之吏 曰 楊子荅 虎哉虎哉角而翼者也（韓詩外傳）無為虎傳翼將飛入邑擇人而食 虎之爪牙本不可當又為其添角添翼助強暴者有類乎此

探虎穴 犯險曰探虎穴（吳）孫權僭稱吳王 呂蒙曰不探虎穴安得虎子

養虎遺患 留禍自害曰養虎遺患張良謂漢王曰。今釋楚不擊是養虎自遺患也 漢王欲東歸張良曰。漢有天下大半。楚兵飢疲。今釋不擊。此養虎自遺患也。王從之

為蛇安足 妄有增加為蛇安足 史陳軫見楚使昭陽曰。人有遺舍人一卮酒 遺。贈也。舍人親近左右之通称也。後以為官号一卮。一器也 舍人相謂曰請畫地為蛇先成者獨飲一人先成舉酒而起曰吾能為之足 言能為蛇安足 及為足。後成人奪酒飲 後成蛇之人奪酒而飲 曰 後成者言 蛇無足今為之非蛇也

盃中蛇影 事涉暗疑盃中蛇影（晉）樂廣遷河南尹。有親客久不來廣問故荅曰前蒙賜酒見盃中有蛇。飲而疾時廳事有角漆弓廣意弓影如蛇。復置前

處謂客有所見否客曰如初乃告所以（指示其引）客病豁（呼括反）然（豁快然也其意快然而安其病遂愈不疑）

打草驚蛇 懲（音呈）此警（音景彼懲警戒也）打草驚蛇王魯為當塗令（去声○當塗今太平縣）黷貨為務會稽民連狀訴簿貪賄（回上声）魯判曰汝雖打草吾已驚蛇（言汝訴主簿貪賄如打草則我如蛇之被驚已知戒矣）

投鼠忌器 事有所礙（五代切）投鼠忌器（賈誼策）諺曰（諺俗語也）欲投鼠而忌器鼠近於器尚憚（畏也）不投恐傷其器。況貴臣之近主乎

窮猿投林 窮不擇處若窮猿投林（晉李充）家貧求出外除剡令語人曰（語告也）窮猿豈暇擇木

塞翁失馬 識禍福之倚伏（文選）北叟塞上翁也馬亡入胡人弔之翁曰安知非福乎後馬將駿馬歸人賀之翁曰安知非禍乎後子騎折髀（音畀○折髀折股也）人弔之翁曰又安知非福乎後兵出丁壯者戰死其子以跛（彼上声）相保

海翁好鷗 見機心之動息（機心謂心中一念纔動謂之機心機者動之微吉凶先之見者也）（列子）海上之人有好鷗鳥者每旦從鷗鳥

遊至数百其父曰取来吾玩明日之海上鷗舞而

不下人有機心好殺則鳥飛之不下李商隱大倉箴海翁忘機鷗

鳥不飛海翁易慮易猶改也鷗鳥飛去

狙公賦芧音序

朝三暮四詩物以術（莊子齊物論篇）狙公賦

芧狙猿也。狙公養猿之人也賦分猿食也芧山栗也曰朝三而暮四衆狙

皆怒標題云朝與三次暮與四次衆猿皆嫌少曰而怒但知朝与之少而不知暮與之多

然則朝四而暮三衆狙皆悅但知朝與之多而不知暮與之少。然每日

無過七次而乃以智籠愚之術

騎鶴上楊州

兼人所欲騎鶴上楊州（東坡綠筠軒詩）

若對此君仍大嚼嚼入声。此君竹也曹子建與吳季重書曰過屠門而大嚼豈

不快意世間那有楊州鶴（注）昔有客各言其志或以

為楊州刺史或願多貨財或願騎鶴上昇其一人

曰腰纏十萬貫騎鶴上揚州盖兼三人之欲也對竹

者清雅。大嚼者豊富正不能兼全。清者不富，富者不清言若對竹已清雅仍要豊富而大嚼是欲兼

全也若能兼全則是騎鶴之人。果能兼全三人之欲而世更無揚州之鶴矣

見彈求鴞炙鴞音岳炙音柘

觸物見貪（注）齊物論篇長梧子曰汝

亦大早計見卵而求時夜卵者日初出之時纔見卵即求時夜豈非早計

見彈而求鴞炙鴞雕鴞也炙燒焚也言纔見彈子即欲求鴞打而炙也○餘詳見前

見彈而求鶚炙 ○ 亦大早計見卵而求時夜見彈而求鶚炙【莊】齊物論長梧子曰汝

見彈求鶚炙

昔有客各言其志或願為揚州刺史或願多貲財或願騎鶴上昇其一人曰腰纏十萬貫騎鶴上揚州蓋兼三人之欲也

不意世間那有揚州鶴【蘇軾】若對此君仍大嚼

書言故事　卷之三十一　三十

騎鶴上揚州

集人所欲騎鶴上揚州【東坡綠筠軒詩】

然則朝四而暮三衆狙皆悅

皆怒

芧

狙公賦芧

朝三暮四【莊子】齊物論狙公賦芧

鳥不飛海翁鷗鳥處

不下【李商隱】大食齋海翁忘機鷗

從至數百其父曰取來吾玩明日之海上鷗舞而

鼯鼠五技（鼯音吾）言才短鼯鼠五技（荀子勸學篇）鼯鼠五技而窮（集注）技才能也五技謂能飛不能上屋能緣不能窮木能游不能渡谷。能穴不能掩身。能走不能先人

黔驢之技（柳文）黔無驢有好事者。船載以入放之山下。虎見龐（音厖）然大物也（龐大）蔽林間視之驢一鳴虎大駭以為且噬（音世）已（音紀）然往來視之。覺無異能益習其聲稍近蕩倚衝冒驢不勝怒蹄之虎因喜計

之曰技止此耳。跳梁大㘎。断其喉。盡其肉乃去（柳子）厚設此言喻才短之人今常言黔驢之技止於此耳

蝸角之爭所爭者小曰蝸角之爭（蝸小螺也）（莊則陽篇）王戴晉人曰有國於蝸之左角曰。觸氏國於蝸之右角曰。蠻氏相與爭地而戰伏尸數萬逐北（北陰方也故大敗于逐北）旬有五日而後反

鷸蚌相持（鷸音聿蚌音旁上声）兩爭不觧。鷸蚌相持（國策）趙伐燕（音烟）蘇代說（音稅）趙惠王曰昨者臣過易水（音亦易水地名）蚌方出曝（音坡○曝晒日也）而鷸啄其肉（鷸知天將雨之鳥）蚌合

[illegible]

鼫鼠五技 音碩 音技 言才雖鼫鼠五技（荀子）荀卿勸學 鼫鼠五技而窮〔書註〕技才能也。五技謂能飛不能上屋，能緣不能窮木，能遊不能渡谷，能穴不能掩身，能走不能先人。

黔驢之技（柳文）黔無驢，有好事者船載以入，放之山下。虎見龐然大物也，以為神，蔽林間窺之。驢一鳴，虎大駭，以為且噬己，甚恐。往來視之，覺無異能。益習其聲，稍近益狎，蕩倚衝冒。驢不勝怒，蹄之。虎因喜，計

之曰：技止此耳。跳踉大㘎，斷其喉，盡其肉，乃去。

蝸角之爭 常言技止此耳 所知者小，曰蝸角之爭（莊子）戴晉人曰：有國於蝸之左角曰觸氏，有國於蝸之右角曰蠻氏，相與爭地而戰，伏尸數萬，逐北旬有五日而後反。

鷸蚌相持 音聿 音棒 兩爭不解。鷸蚌相持（國策）趙伐燕，蘇代為燕謂惠王曰：今者臣過易水，蚌方出曝，而鷸啄其肉，蚌合

而揖（音黔）其喙（音惠。喙，觜也。）鷸曰今日不兩（陸佃埤雅放作兩謂開口為兩也。文作不放非）雋明日不兩必有死蚌。蚌曰今日不出明日不出。必有死鷸。兩爭不捨漁者并擒之（蘇代設此譬喻以止趙王伐燕言果欲伐燕二國相戰如鷸蚌相持恐旁国并破之。正如漁者并擒鷸蚌也）

馬首是瞻

隨人所往惟馬首是瞻（左）（襄公十四年）晉荀偃曰（荀偃晉大夫出令軍中曰）雞鳴而駕（雞方鳴而駕馬于車）塞（音色）井夷竈（夷平也欲其地之平示不反也）唯余馬首是瞻（言進退隨己。此蓋荀偃從晉侯伐秦匕人放毒水中晉師多死於是荀偃命駕而還）

不及馬腹

鞭長不及馬腹言不可為處（左）（宣公十五年）楚

伐宋宋告急于晉（宋被圍急求救于晉）晉侯欲救之（晉景公欲發兵救之）伯宗曰不可（伯宗晉大夫也言不可往救）古人有言曰（古人有言如下文所言）雖鞭之長不及馬腹（言鞭雖長用以撻馬不能及其腹也）天方授楚（言楚勢方盛乃天授之）不可與爭（未可以人力爭也晉侯納諫遂止不救宋）

以蚓投魚

抛磚（音專）引玉同意（言以蚓投魚与抛甎引玉同意）陳使傅縡（音宰）聘齊（傅縡仕陳為秘書監至是聘齊）齊以薛道衡接對之縡贈詩五十韻衡和（去聲）之南北稱美魏收曰傅縡所謂以蚓投魚耳

偃鼠（偃者鼠飲河以身覆仆于水中故曰偃鼠）飲酒辭量（去声下同）實称鼠量鼠腹（莊）（逍遥遊篇）鷦（音揪）鷯（音遼）巢於深林不過一枝（鷦鷯小鳥也）偃鼠飲河不過滿腹（鼴鼠大如牛无尾黑色。餘詳見第四卷自足類巢林上拔之下）

打鴨驚鴛鴦（魏泰詩話）（魏泰襄陽人章惇官之拂袖還家）呂士隆知宣州好笞官妓（妓皆畏笞欲逃去）適杭州一妓到士隆喜之一日郡妓小過士隆欲笞之妓曰不敢辭。但杭妓不安。士隆捨之。梅聖俞作打鴨詩莫打鴨驚鴛鴦。鴛鴦新向池中落不比孤洲老鴰（音括）鶬（音倉。鴰鶬韻作鶬鴰象其鳴声遂以為名）

嗾獒（音叟敖）使大聲（左）（宣公二年）晉靈公飲趙盾酒（靈公以酒與趙盾飲。盾即宣子。宣子為正卿見灵公無道而諫之。靈公悪其諫。使鉏麑殺之。鉏麑往殺。見宣子着朝服將朝于君。以其有敬君之心遂不忍殺。觸宣子庭槐而死。靈公又別設計。必欲殺宣子於是以酒飲之。）伏甲將攻之（先伏兵于宮中乃召之飲酒將攻而殺之）其右提彌明知之（宣子之車右提弥明知靈公將殺宣子）趨登（弥明登堂）扶盾以下（弥明見事急遂扶盾以下堂）公嗾夫獒焉（嗾使犬也。犬高四尺曰獒。盖灵公呼犬以齧殺宣子）明搏而殺之（弥明擊殺此犬）盾曰棄人用犬（責公不養士而以犬為巳用）雖猛何為（犬雖猛何所用之。伏兵出。宣子奔弥明為伏兵所殺）

[illegible]

指鹿為馬

（秦）趙高欲專權當時胡亥非明主趙高故欲專權乃先設驗効驗之謂先立策衆有不從者害之即見應效也持鹿獻二世二世者秦始皇。以已為一世傳至萬世而無窮。始皇崩。子胡亥立是為二世皇帝曰馬也。二世笑曰。丞相誤耶。謂鹿為馬趙高為中丞相官者居中內中故曰中問左右趙高既指鹿為馬二世問左右之人是鹿乎是馬乎或默或言或默或有不敢言者或言是鹿者言是馬者高陰中言鹿者以法陰私也。中害也。高陰私以刑法害言鹿者。蓋欲人從己也

守株待兔

株守（張衡傳）守株而伺兔詳見下文（韓子）宋人有耕者。田人有株兔走觸之折頸而死。因釋耕守株。覲音計復得兔覲希望也為宋國笑也

羝羊觸藩

羝音低進退不得曰羝羊觸藩（易）大壯雷天大壯卦名䷡九三在下第三爻羝羊觸藩羝羖羊也。藩籬也。羝羊性狼戾喜觸前有陽爻如藩籬在前則必觸之羸力追切其角羸困也以剛犯剛必困損其所用之角凡人視有如無乃知而故犯豈不遭損上六上第六爻羝羊觸藩不能進不能遂遂進也。六以陰處震終而當壯極其過可知。如羝羊之觸藩籬進則礙身退則妨角進退皆不可也

鴻鵠將至

心有他慕鴻鵠將至（孟子）告子上章使奕秋誨二人奕奕圍棊也奕秋善奕者名秋也其一人專心致志惟奕秋

之為聽一人雖聽之一心以為有鴻鵠將至思援弓繳 音灼 而射之 援，引也。繳，以繩繫矢而射之。 雖與之俱學弗若之矣 大學所謂人之心不在焉，視而不見，聽而不聞，食而不知其味是也

生龜脫筒 情愛難割生龜脫筒 山谷詩 金華俞清老云荊公欲使脫逢掖著 張入声 僧伽黎 逢掖，儒衣也。僧伽黎，袈裟也 奉香火於半山寺與之僧名曰紫琳無妻子之累云去作半山道人似不為難然生龜脫筒亦難堪忍 筒，殼也。推卜鑽龜以占者，皆生取殼。人之情愛難捨，亦如龜之苦難脫其殼 後數年見之儒冠自若

燕巢于幕 左 襄公二十九年 吳 季札如晉 吳國名，季札封延陵，號曰延陵季子 至是自衛如晉 將宿于戚 戚，孫林甫所據之地 聞鐘聲焉 季札聞孫林甫林人擊鐘奏樂 曰夫子之在此也 夫子在此，言孫林甫在戚，謂獲罪于君而據戚邑 猶燕之巢于幕上 以喻其危 而可以樂乎 恐懼修身猶自不足国憂身危豈可樂乎。林甫聞季札之言，終身不聽琴瑟

輕家雞愛野雉 厭常喜新輕家雞愛野雉 法書苑 庚翼善草隸與王羲之齊名內外宗尚羲之翼不平與人云兒輩乃輕家雞愛野雉 兒輩，指一切之人也

驪龍珠 莊 列樂寇篇 河上有家貧者 織葦簾而食者 其子沒淵得

之為聽一人雖聽之一心以為有鴻鵠將至思援弓繳而射之繳以繩繫矢而射也雖與之俱學弗若之矣見孟子學而不專聽不謂人不知其味也

生龜脫筒 情愛難割生龜脫筒（山谷詩）金華俞清老云荊公欲使脫運枚善入僧伽黎也奉者大於半山寺與之僧名曰紫林無妻子之累云吉作半山道人以不為難然生龜脫筒亦難堪之情愛難割其苦如生龜脫筒

年見之儒冠白若

燕巢于幕（左）襄公二十九年（吳）季札如晉自衛如晉將宿於戚聞鍾聲焉曰異哉吾聞之也辯而不德必加於戮夫子獲罪於君以在此懼猶不足而又何樂夫子之在此也猶燕之巢于幕上言其危也而可以樂乎

輕家雞愛野雉（晉書）庾翼善草隸與王羲之齊名內外宗尚羲之翼不平與人云況華乃輕家雞愛野雉

翳龍本（韓）

千金之珠父曰。夫音扶珠必在九重之淵驪龍珠下。子能得珠遭其睡也父言驪龍而寤子尚奚微之有哉取石来搥之

披綿 黃省曰披綿東坡送牛尾狸與徐君風捲飛花自入帷一樽遥送破愁眉泥深厭聽雞頭鶻。音骨鶻班鳩也酒浅欣嘗牛尾狸。通印子魚尨带骨或曰印與孕通魚之孕子者肥也雖肥尨帶骨披綿黃雀謾多脂披綿黃雀之肥者鳥音其軟如披綿可耳慇懃送去煩纖手為我磨刀切玉肌言諸物皆不及牛尾狸之好

尋常百姓 一旦流落曰尋常百姓家劉禹錫烏衣巷詩朱鵲橋邉野草花。烏衣巷口夕陽斜。舊時王謝堂前燕王。王導。東晋显宗時為司徒。謝安。東晋烈宗時為太保。皆三公也。飛入尋常百姓家六尺曰尋。倍尋曰常乃一丈二尺也。平等百姓之屋不過尋常之高。此盖發感歎信王謝之居連雲大廈燕棲焉。王謝既廢燕無所依。則流落于尋常百姓之家矣。

主人貧亦歸 無炎涼態曰主人貧亦歸態意態亦嬌態也無冷熱之意而有常情也武瓘詩花開蝶滿枝花謝蝶還稀惟有舊巢燕主人貧亦歸

坐中江南客 有礙難言曰坐中亦有江南客鄭谷詩坐中亦有江南客莫向春風唱鷓鴣詳見前第二卷人品類江

千金之珠。父曰。夫扶音珠必在九重之淵驪龍頷下。

子能得珠者遭其睡也微言驪龍而錫子尚姿父之言有欲取石來鍛之

披綿

黃雀曰披綿（東坡）送牛尾狸與徐君風捲飛花

自入帷一樽遙想破愁眉泥深厭聽雞頭鶻。音骨

鶻鳥也酒淺欣嘗牛尾狸。通印子魚猶帶骨子魚曰通印

魚之肥者帶骨披綿黃雀漫多脂坡指黃雀之肥如綿

可中取耳綿慇懃送去煩纖手為我磨刀切玉肌此言不欲物

之中好尾狸

尋常百姓

一旦流落曰尋常百姓家（劉禹錫）烏衣巷

（詩）朱雀橋邊野草花。烏衣巷口夕陽斜。舊時王謝

堂前燕王導。東晉元帝時為司徒。謝安。東晉烈宗時為太保。三公也。飛入尋

常百姓家八尺曰尋。倍尋曰常。乃一丈六尺也。百姓之屋不過尋常。

燕數信王謝之居連雲大廈燕賴焉。王謝既衰燕無所依則流落于尋常百姓之家矣。

主人貧亦歸

無炎涼態曰主人貧亦歸燕憶舊也無冷熱亦

常之情意也而有（于濆詩）花開蝶滿枝花謝蝶還稀惟有

舊巢燕主人貧亦歸

坐中江南客

有嫌難言曰坐中亦有江南客（鄭谷詩）

坐中亦有江南客莫向春風唱鷓鴣詩見前卷入品類第二江

南客之下

鶃鶃音業俗呼鵝曰鶃鶃（孟子滕文公下）陳仲子居於音烏陵

仲子齊之世家也。以其兄之祿為不義之祿而不食也。室為不義之室。而不居也。避兄離母。處于於陵。

有饋其兄生鵝者已音以頻顣頻与顰同顣与蹙同。顰蹙歛眉也曰惡用是哉惡音烏。鶃〻鵝声也頻鵝而言以其兄受饋為不義也他日其母殺而食之其兄曰是鶃鶃之肉也。出而哇之哇音蛙。哇吐也

寫經傳鵝王羲之愛鵝山陰道士有之為寫道經傳焉。寫畢遂籠鵝歸李白云書罷籠鵝去何曾別主人

舒鴈送人鵝曰舒鴈（幾翼家鴈）（爾雅）鵝一名舒鴈。江東人謂之家鴈旧文闕家字

五德謂雞曰五德（韓詩外傳）田饒謂魯哀公曰君不見夫雞乎。頭戴冠者文也。足搏距者武也。搏猶附也敵在前敢鬭者勇也。見食相呼者仁也。守夜不失時者信也。夫是謂之五德

牝雞之晨不祥之兆曰牝雞之晨（尚書）牝雞無晨牝雞之晨惟家之索音朔○詳見前第二卷婦人類牝雞之晨之下

雞鳴內助曰得雞鳴之助（詩）雞鳴篇名思賢妃也哀公

雞鳴 内助曰得雞鳴之助（詩）雞鳴思賢妃也哀公

雞之晨惟家之索（索音素入則顛○牝雞詳見前之第二卷下）

牝雞之晨 不祥之兆曰牝雞之晨（尚書）牝雞無晨牝

者信也夫是謂之五德

在前敢鬬者勇也見食相呼者仁也守夜不失時

見夫雞乎頭戴冠者文也足搏距者武也（搏補時也）敵

五德 謂雞曰五德（韓詩外傳）田饒謂魯哀公曰君不

東人謂之家雁（家旧字文閣）

舒雁 送人鵝曰舒雁（爾雅翼）家鴈（爾雅）鵝一名舒雁江

書言故事 卷之二十一

寫畢遂籠鵝歸（右軍何曾云白時報籠入鵝）

寫經換鵝 王羲之愛鵝山陰道士有之為寫道經傳

也○王

母鵝而食之其兄曰是鶃鶃之肉也出而哇之（音哇）

曰惡用是鶃鶃者（而惡言以為○其兄自外至曰是鶃鶃之肉也）

有饋其兄生鵝者已以頻顣（音蹙同）

（會仲子齊之世家也兄戴蓋祿萬鍾以兄之祿為不義之祿而不食也以兄之室為不義之室而不居也）

鶃鶃 音倪呼鵝曰鶃鶃（孟子）陳仲子居於陵

（之下南害）

荒淫怠慢哀公齊哀公也故陳賢妃貞女夙夜警戒相成之道焉雞鳴之詩云云○言古之賢妃御于君所至于将旦之時必告君曰雞既鳴矣會朝之臣既已滿矣欲令君早起而視朝也然其实非雞之鳴乃蒼蝇之声也盖賢妃當夙興之時心常恐惧故聞其似者而以為真非其心存警畏而不留于逸欲何為能此故詩人叙其事而美之也

雞鳴度關（史）孟嘗君自秦逃歸孟尝君齐宣王之姪也秦昭王聞其賢而求見至則王囚欲殺之孟嘗君之客有能為狗盜者入秦庫中取孟嘗旧日所献狐白裘献昭王方得釋即馳去变姓名夜半至函谷關追者將至關法雞鳴則開孟嘗門下客有善為雞鳴者試作雞鳴衆雞聞之皆鳴守吏開關得逃歸

稻粱謀糊口於外為稻粱謀（韓愈鴈詩）天長地久棲鳥稀風霜酸苦稻粱微言鴈窮秋南來春北歸去寒就暖識所依○鴻一鴈前輩多使稻粱又杜甫詩自古稻粱多不足

飢附人飽颺去颺音漾（魏）曹操據魏地借稱魏武王呂布使陳登見曹操求為徐州牧不得布怒登諭之曰登見曹公言待將軍如養虎當飽其肉否則噬音逝人公曰不然譬如養鳥飢則附人飽則颺去颺風所飛颺也布乃解

晉權翼諫秦王堅付堅曰慕容垂勇畧過人其心豈止作寇去声軍而已音以○晉哀帝四年慕垂出奔秦秦以為冠軍將軍譬如

止作逼王軍而已

晉權翼諫秦王堅曰慕容垂勇略過人其心難

測譬如養鷹飢則附人飽則颺去遇風塵之會必有凌

言待將軍如養虎當飽其肉不飽則噬人公曰不

曹操求為徐州牧不得布怒發登詣之曰卿父勸吾協同曹公

飢附人颺去

魏志呂布傳陳登見

馬矯風霜之威

書言故事

又晉書

開孟嘗門下客有善為雞鳴者

雞鳴度關

又道

虎

養鷹飢則附人每聞風飈之起常有凌霄之志正宜謹其條籠（夫鷹以條繫足以笼拘身）

誰知烏之雌雄 不知誰知烏之雌雄（詩）（正月篇）具曰予聖（具俱也）誰知烏之雌雄（烏之雌雄相似而難辨者也蓋言人心善悪亦猶是也）

鵲聲報喜（天寶遺事）（天寶唐玄宗年號）人間聞鵲声皆為吉兆曰靈鵲（西京雜記）眼瞤（如倫切）有酒食（瞤目動也）乾（音干）鵲噪行人至

無枝可依（曹操詩）（短歌行云）月明星稀（月夜之景）烏鵲南飛（月明則烏鵲飛）繞樹三匝（尋棲止也）無枝可依（无所托也此慮朋交或亦所依之辭）

蜀帝化杜鵑 杜老杜鵑行 昔日蜀天子化為杜鵑似老烏（蜀望帝死其魂化為鳥名曰杜鵑亦曰子規成都記曰杜宇亦曰杜主）

〇水族類

兩部鼓吹（去声）蛙聲兩部鼓吹（齊）孔德璋門庭之內草萊不剪蛙聲曰我以此當（去声）兩部鼓吹也

錦襖子 蛙皮錦襖子（尚書故實）越人以蝦蟇為上品疥者皮最佳（疥者俗呼癩蛇蚾）故越人云不可脫去此乃錦襖子

龜縮頭 不強（去声）出曰龜縮頭（唐詩）萬事如今龜縮頭

黿影龜魚　求庇于人云黿影龜魚〈韓愈詩〉詠新亭云黿影蔭龜魚言湖上新亭最好日出之初水紋漾日影浮于枕簟黿影蔭于龜魚托庇于人亦猶龜魚蔭于黿影之下

蛟龍得雲雨　乘勢變化曰蛟龍得雲雨周瑜曰劉備非久屈為人用者周瑜上疏于孫權曰刘備有関羽張飛熊虎之將聚此三人在疆埸恐不能久屈于人用者恐蛟龍得雲雨。終非池中物也瑜勸權從備置吳權不聽

無腸公子橫行介士　公子者蟹也〈蟹譜〉出師下巖之際忽見蟹称為橫介音甲〈抱朴子〉山中辰日称無腸行介剛也士〈簡齋詩〉陳與義字去非號簡齋洛人宋高宗時參政但見橫行疑是躁不知公子實無腸

鮮虫不如一蟹　聖宋掇遺陶穀奉使吳越忠懿王宴之因食蝤音由蛑音某詢其族類詢問也問蝤蛑族孫之等類忠懿命自蝤蛑至蟛音彭蚏音悅凡十餘種中上声以進蝤蛑似蟹而大蟛蚏似蟹而小穀曰真所謂鮮虫不如一蟹言其先食大而後食小也

水梭花　魚曰水梭花〈東坡志林〉僧謂酒為般音撥若音惹湯魚為水梭花雞為鑽籬菜人有為不義而文之以美名與此何異東坡此論極是若今之人皆不好善只要擇深章之字為名余

輙勉之曰人能美名々豈能美人且愚夫忠詁不省而執滞之

○走獸類 附牛馬羊

飯牛長歌 甯戚飯牛車下叩角而商歌商歌商声歌也曰南山粲白石爛粲明也又石淨貌言南山之上粲然乃白石之煥爛光輝歌之只托此以起也生不逢堯與舜禪音善○禪讓也戚自歎生不逢堯舜之治蓋堯讓位與舜舜讓位與禹短布單衣纔至骭音限○骭脛骨也長夜漫漫何時旦言當時之君不若堯舜天下不得太平如長夜不曉桓公聞之用以為相出三斉畧記○桓公斉桓公也

牛後 不落於人曰毋音無為牛後乎（史記）寧為雞口謂雞口雞小猶能進食毋為牛後毋者禁止之辭也牛後雖大乃出糞也○此蓋蘇秦說趙肅侯而言也當時秦国強蘇秦說斉楚燕韓趙魏六国背約為親同一心以拒秦于是設譬喻言其言可從○雞若雞口之小○猶能進食（釋注）說音稅

牽牛蹊田 蹊音兮（左）宣公十二年抑人亦有言曰然而俗諺又有一說如下文所說牽牛以蹊人之田蹊逕也謂牽牛行于人之田中以踐其禾而奪之牛但責其蹊田之罪可也而乃并奪其牛罰已音以重去声矣如此則其罰失之大重矣○此節與前第二卷譏称類吾斉之下通看言楚君滅陳国為縣即如奪牛

志在千里 意遠曰志在千里（世說）王敦每醉後東晋中宗時敦為荊州刺史餘詳見史以鐵如意敲唾壺歌曰老驥音計伏

文辭詳見文 以鐵如意擊唾壺歌曰老驥伏[illegible]

志在千里 意遠曰志在千里（世說）王敦每酒後[illegible]

[illegible]

奪之牛[illegible]罰已重矣[illegible]

牽牛以蹊人之田[illegible]

牽牛蹊田（左）[illegible]抑人亦有言曰[illegible]

[illegible]

牛後 不落於人曰毋為牛後（史記）蘇秦說韓[illegible]

[illegible]

飯牛歌 [illegible]白石爛飯牛車下[illegible]而商歌曰[illegible]

[illegible]

櫪音力○驥千里馬櫪飼馬具伏櫪謂伏糟櫪而秣之（釋注）飼音寺食也秣者未养也志在千里烈士暮年壯心不已歌闋音鈌終也唾壺半缺矣

唾壺盛唾之壺

騅不逝兮

騅音追項羽敗於垓下項羽与漢高祖滅秦至是高祖追羽至垓下兵少食尽羽敗入城夜聞漢軍四面皆楚歌羽大驚曰漢皆已得楚乎遂悲傷而為下文之歌云乃歌曰時不利兮騅不逝羽既聞楚歌起飲帳中命其妻虞氏起舞而為歌曰力拔山兮氣蓋世時不利兮騅不逝騅不逝兮可柰何虞兮虞兮柰若何騅者羽平日所乘駿馬也其毛蒼白雜色至烏江以此馬賜亭長餘詳見前第二卷古今喻類無面見江東之下

細肋卧沙

細肋卧沙肋音勒○細肋羊也同州沙苑監音間有佳羊俗謂之細肋卧沙

髯主簿

蒙賜羊曰有来髯主簿（古今註）崔豹所著羊一名髯主簿

昔羊子為政

（左）宣公二年宋華去声元殺羊食音似士是歲鄭公子歸生受命于楚伐宋於是華元殺羊以犒士卒其御羊斟不與音預○羊斟為華元御車不及羊羮之賜以雖華元親之人意亦是不詳察處及戰及与鄭戦之時曰疇昔之羊子為政羊斟怨華元故云前日殺羊食士而其權在汝今日之事我為政今日與鄭戰使我御車其权郑在我與入鄭師羊斟故意御華元戎車以入鄭

[illegible]驥伏櫪志在[illegible]

千里烈士暮年壯心不已[illegible]唾壺盡缺矣

[illegible]

騅不逝兮

項羽敗於垓下[illegible]

[illegible]

乃歌曰時不利兮騅不逝騅不逝兮可奈何[illegible]

[illegible]

至烏江以此馬賜亭長[illegible]

[illegible]

書言故事

細肋沙

同州沙苑[illegible]有佳羊俗謂之[illegible]

[illegible]

髯主簿

[illegible]羊曰有來髯鬚主簿（古今注）[illegible]羊一名[illegible]

[illegible]

昔羊為政（左）宣二

東華元殺羊食士[illegible]

[illegible]其御羊斟不與及戰曰疇昔[illegible]

之羊子為政今日之事我[illegible]

為政與入鄭師[illegible]故敗

師故敗故宋兵敗而華元見獲也○君子謂羊斟非人也以羊羹之私怨而敗宋國之兵殺宋國之民以刑法誅之其罪莫大

遼東之豕

不足称異遼東之豕朱浮與彭寵書曰伯通自伐以功為高天下彭寵字伯通為漁陽太守其初光武討王郎寵運糧不絕自負其功意望甚高不能滿故幽州牧朱浮與之書設下文譬喻云往時遼東有豕猪也生子白頭異而獻之遼東之猪古来皆黑作見白者以為奇異將以獻之于天子行至河東見群豕皆白懷慚而退若以子功論於朝廷則為遼東豕也

豚肩斗酒

送人猪酒曰豚肩斗酒為獻史淳于髡音坤淳于姓髡名見道傍有禳田者禳田祭之祈曰禾之豐熟也操平声一豚肩斗酒操持也而祝曰甌窶音摟滿篝音鈎○甌窶高亢狹小之田篝竹籠也滿篝言多也汙音蛙又音烏邪音耶滿車音尺○汙邪下溼尖角之田云吾見其所持者狹狹少也所持者寡少之一豚蹄所欲者奢奢大也欲祈田禾滿家也○此盖諸侯伐齊威王威王使髡齎百金車馬十駟往趙國求救髡以其車馬金之少故引禳田之故以譬喻之

豚肩卮酒

項羽賜樊噲音快豚肩卮酒漢高祖與項羽飲酒于鴻門項莊舞劍欲殺高祖樊噲聞之擁干直入張目視羽眼角盡裂頭髮上指羽曰壯士遂賜噲酒肉噲立飲切生肉食之高祖乃得免

[illegible]

[illegible]

遼東之豕 不足稱異遼東之豕朱浮與彭寵書曰伯通自伐以功為高天下 [illegible] 往時遼東有豕生子白頭異而獻之 [illegible] 行至河東見群豕皆白懷慚而還若以子之功論於朝廷則為遼東豕也

豚肩斗酒 送入諸酒曰豚肩斗酒為獻〔史〕淳于髡 [illegible]

[illegible] 八卷六十一 [illegible]

[illegible] 見道傍有禳田者 [illegible]

豚肩斗酒 [illegible] 而祝曰甌窶 [illegible] 滿篝 [illegible]

吾見其所持者狹 [illegible] 而所欲者奢 [illegible]

豚肩卮酒 項羽賜樊噲〔快音〕豚肩卮酒

[illegible] 壯士賜之卮酒 [illegible]

[illegible]

吠聲 聞風而起云吠聲（潛夫論）一犬吠形百犬吠聲

跖犬吠堯 跖音只 吠非其主跖犬吠堯（漢）高祖既殺韓信詔捕蒯音快徹先是蒯徹說韓信反。信堅意不聽。至是信臨刑怨悔曰。早不用蒯徹之言。高祖聞之。捕捉蒯徹。既至獲徹已至上曰高祖言若教淮陰侯反乎若。汝也。淮陰。韓信淮陰人也。韓信以功封楚王。人告其反。高祖擒之。赦之為淮陰侯。於是問徹汝數淮陰侯反乎對曰然秦失其鹿以鹿喻君位秦失君位猶失其鹿天下共逐之言秦既亡共爭天下者。如共逐其鹿高材疾足者先得焉先得天下猶先得鹿跖之犬吠堯堯非不仁狗固吠非其主跖。春秋時。柳盜、跖天下之強盜也。跖雖惡而犬不吠。犬以跖是其主也。堯雖仁而犬吠之。以堯非其主也。跖與堯本不同時。盖設辨以喻人主。蒯徹以堯比高祖。以狗比自己言我初但知有韓信。而不知有陛下。陛下若堯之非不仁。而非臣之主。臣教韓信反。若跖犬之吠堯。且韓信其實未反。何以殺之。昔韓信用兵如神。佐陛下以定天下。未有反心。今也時平事定。又削其兵權而降為侯。又何反之有因歷数信有十大功勞。高祖及群臣皆流涕。遂為信立廟 釋注 數跡上聲

○百蟲類

捫蝨論事 捫音門蝨音瑟 王猛聞桓温入關王猛。字景畧。桓温在東晋廢帝時。帥師伐秦大敗。秦兵于藍田。轉戰于灞上。灞上關內也。披褐謁之捫蝨而談當世之務旁若無人捫。以手執持也。盖王猛卓異不羈有大志。捫蝨之際。泰然不顧。左右以為旁若無人温異之

腐草為螢爛茅放光

（記）月令篇季夏之月（季夏斗柄建未之月）温風始至腐草為螢（朱氏曰温風温厚之極凉風嚴凝之始腐草為螢離明之極故幽類化為明類也。陳澔曰腐草得暑濕之氣故化而為螢）（杜詩）（詠螢火）幸因腐草出敢近太陽飛（螢火但夜見近太陽則不能顯其光也）

辛苦為誰甜

（羅隱蜜蜂詩）採得百花成蜜後。為誰辛苦為誰甜

書言故事卷之十一終